- El símbolo ☛ en el texto indica un lugar muy recomendado
- La información de utilidad en orden alfabético comienza en la página 104
- Mapas detallados en las solapas y a través del texto

Berlitz Publishing Company, Inc.

Princeton   Ciudad de México   Dublín   Eschborn   Singapur

Texto:	Martin Gostelow
Editores:	Tanya Colbourne
Fotografía:	Jacques Bétant, Aram Gesar, Martin Gostelow
Diagramación	Media Content Marketing, Inc.
Cartografía:	Falk - Verlag, Munich

Nuestros agradecimientos a British airways, Lee County Visitor and
Convention Bureau, Greater Miami Convention and Visitors
Bureau, Naples Area Chamber of Commerce, Spaceport USA,
Universal Studios Florida, y Walt Disney World Co. por su valiosa
colaboración en la preparación de esta guía.

¿Encontró un error del que deberíamos enterarnos? Nuestro editor
se alegrará de ser informado, para lo cual bastará una tarjeta postal.
Pese a que hacemos todos los esfuerzos posibles para asegurar la
precisión de toda la información de este libro, siempre se producen
cambios.

ISBN 2-8315-7008-5
Primera impresión 1998

Impreso en Suiza
019/809 REV

CONTENIDO

LA FLORIDA

LA FLORIDA Y SU GENTE

El extremo sureste de Estados Unidos sobresale tanto hacia el sur que, prácticamente, llega a los trópicos. Con casi 640 km. de largo y cerca de 200 km. de ancho, esta península bañada por el sol está tan rodeada de islas adyacentes que su línea costera total prácticamente se triplica. El clima ha atraído a muchos, desde multimillonarios a jubilados con poco presupuesto, desde estrellas del deporte a estudiantes que toman sus vacaciones de primavera; y, refugiados que escapan de los inviernos del norte de Estados Unidos.

La Florida iguala a California como líder en moda y diversiones; los habitantes de la Florida disfrutan de un estilo de vida que sólo hacen posible los generosos dones de la naturaleza. Cineastas, empresas de alta tecnología y nuevas tiendas han sido persuadidos a instalarse aquí. ¡Hasta Mickey Mouse tiene su residencia! Y el *Sunshine State* se ha internacionalizado, atrayendo a la más increíble combinación de inmigrantes y turistas, un mosaico de turistas europeos ávidos de sol, magnates sudamericanos e inmigrantes de las islas del Caribe.

La Florida se reinventa a sí misma con cada generación, de brumosos pantanos a imán turístico y a antro de corrupción, de casa de reposo a base espacial y nuevamente a paraíso turístico. Cada vez permanece algo de la encarnación previa. El resultado es una especie de esquizofrenia, la Florida no sabe si ser somnolienta y subtropical o rápida y moderna. Constantemente se verá sacudido por los contrastes. Las grandes riquezas se yuxtaponen con una pobreza aguda, la expansión de concreto colinda con la jungla impenetrable, las bellas artes comparten mano a mano con el *kitsch*; las playas se ven invadidas por los obesos y los esbeltos. Incluso el tránsito parece reflejar esta dicotomía, soñadores que conducen a velocidad crucero contra temerarios exhibicionistas por las carreteras de Miami.

Siendo el más austral de los estados continentales (sólo Hawai está más cerca del ecuador), la Florida enfrenta vera-

Las magníficas playas de la Florida, un idílico lugar de diversión para niños y adultos por igual.

nos de un calor infernal, durante los cuales será recibido por una ráfaga de calor y humedad. La recompensa llega en forma de agradables inviernos, cuando residentes y visitantes leen con petulancia acerca de la neblina y la nieve que trastornan las ciudades del norte, mientras Miami se asolea bajo las temperaturas más altas del país y la cosecha de cítricos madura en los árboles.

Topográficamente la Florida tiene un atractivo más sutil, una planicie cuyo punto más alto alcanza 105 metros sobre el nivel del mar. La línea costera, más larga que la de cualquier otro estado excepto Alaska, es maravillosamente variada. Una cadena de islas mar afuera protege la Intra-Coastal Waterway. A lo largo de la costa, los pelícanos patrullan sobre las olas, ocasionalmente caen en picada cuando encuentran un pez. Se puede ver tortugas gigantes desplazándose en tierra, mientras los caracoles son arrastrados por el oleaje.

Kilómetros de playas de arenas blancas rodeadas de palmeras se extienden a lo largo de la costa del golfo y sus aguas poco profundas permiten que los niños se bañen en forma segura. Las playas del Atlántico son más doradas, con la posibilidad de olas más grandes que atraen a los surfistas. Gracias a la Corriente del Golfo, el agua es tibia convirtiéndola en un paraíso para quienes disfrutan del mar.

Tierra adentro, las planicies cubiertas de césped brillan con el resplandor de unos 30,000 lagos. El paisaje se divide en ranchos ganaderos, aromáticos naranjales, bosques de pinos y cipreses, además de pequeños y acogedores pueblos. Las flores exóticas no están restringidas a los numerosos y exuberantes jardines botánicos. En este clima cualquiera puede cultivarlas. Desde los lagos, las aguas tibias se derraman hacia el sur y el oeste a través de cientos de kilómetros cuadrados de pastizales, culminando en los manglares de los Everglades, orgullo del sur de la Florida. Aquí puede navegar, hacer canotaje, pescar o explorar las rutas en búsqueda de cocodrilos, águilas calvas del sur o (probablemente en vano) la escurridiza pantera de la Florida.

Unas vacaciones en la Florida dan la oportunidad de practicar un sinnúmero de deportes al aire libre. Practicar esquí acuático, buceo, surf, tenis, golf o montar a caballo, sea lo que fuere que le llame la atención, puede estar seguro de que cerca habrá instructores amistosos y profesionales dispuestos a asesorarlo. Muchos complejos turísticos poseen escuelas de tenis equipadas con video y escuelas de golf (clínicas) con análisis computacional de sus errores. Hay gran cantidad y variedad de instalaciones termales, que ofrecen programas de ejercicios, masajes y burbujeantes jacuzzis.

Cualquiera que sea su preferencia, explorar los manglares, visitar el Kennedy Space Center o incluso admirar la colección más grande de caracoles marinos, se verá agobiado por la gran variedad de cosas que hay que ver y hacer. Pronto se sentirá indiferente ante los rótulos de "lo mejor y más grande del mundo".

Para la mayoría de quienes disfrutan de unos días libres, la comida es un elemento importante de placer. Comer en la Florida es algo informal y un placer que se acomete con gran gusto. Las porciones tienden a ser enormes y los famosos buffets "all you can eat" (consumo ilimitado) constituyen un reto intimidante para el más fervoroso de los *gourmands*. La comida y la bebida no disminuyen en ningún momento del día y de la noche. La variedad es infinita: de un tanque elija cangrejos de gran tamaño o una langosta viva, vaya a una parrillada tradicional o aventúrese en uno de los magníficos restaurantes cubanos de la Pequeña Habana de Miami para vivir una experiencia realmente especial.

La Florida cautiva de inmediato. Más que eso, es algo que le llega a gustar con el tiempo. Las miles de personas que se congregan en el Sunshine State para cambiarse los abrigos y trajes de negocios por pantalones cortos y ropa deportiva, tienen la sensación de que éste es el lugar de moda. Con los daiquirís en la mano, los residentes de la Florida reirán y le dirán que conocen bien esa sensación. Se llama "llenarse los zapatos de arena".

La energía de los pedales en Coconut Grove.

La mezcla étnica

La herencia sureña de la Florida se puede sentir con mayor fuerza en el norte del estado, en la zona de Tallahassee y Jacksonville, que tienen una población principalmente anglosajona y afroamericana. Sin embargo, desde la época de su descubrimiento por parte de los españoles, el estado siempre ha tenido un marcado sabor latino. Cuba está a sólo 145 km. de Cayo Hueso, (Key West), hecho que a menudo ha influido en la historia de la Florida, y aún lo hace. Los exiliados cubanos conforman el mayor contingente de Miami y dan gran colorido a la vida en las calles, un sabor sabroso a la cocina y una perspectiva especial a la política. Incluso los cubanos de segunda generación son fervientemente leales a la imagen del "viejo país" y hablan con vehemencia sobre los sucesos pasados y presentes de la isla. La presencia latina se vio incrementada por la llegada de nicaragüenses durante los turbulentos años que vivió su patria. Más recientemente, ha habido un creciente número de inmigrantes caribeños, en especial de Haití.

La Florida es también un imán para los neoyorquinos. Los acentos que se escuchan en los supermercados y por las piscinas de Miami Beach y la Costa de Oro parecen tener más relación con las pesadas ironías de Brooklyn y Queens que con la jovialidad rural de los vecinos estados sureños de Georgia y Alabama. Hay italianos, griegos y escandinavos a cargo de las líneas de cruceros, además de británicos ansiosos de sol. Piense en una nacionalidad y la encontrará aquí.

Los Cayos de la Florida siempre han atraído una mezcla cosmopolita de bohemios: aquí se congregan los artistas, escritores y buscadores de la buena vida provenientes de todo Estados Unidos y de otros países. Este vivaz grupo de excéntricos resiste cualquier clasificación étnica.

Cayo Hueso tiene sus propios y orgullosos "Conchs" (llamados así por los caracoles marinos). Sus ancestros se remontan a la Revolución de Estados Unidos, cuando los leales a la corona británica huyeron primero a las Bahamas y luego a los Cayos, donde su comunidad aún administra el negocio de la pesca y se mantiene alejada de los "entrometidos".

RESEÑA HISTÓRICA

El paisaje llano de la Florida emergió del mar hace mucho tiempo, aumentado por los sedimentos que arrastraban los grandes ríos del norte y por los arrecifes de coral que crecían en las cálidas aguas. En épocas prehistóricas, los tigres con dientes de sable merodeaban en los pantanos. Los lanudos mamuts, los bisontes gigantes y hasta los camellos vagaban por las llanuras.

Los primeros habitantes llegaron hace unos 15,000 años, quizás desde más al norte, pero con mayor probabilidad desde América Central. Vivían de la caza, de la pesca y en especial de las generosas existencias de mariscos. De hecho, en el centro y en el sur de la Florida algunos de los cerros más altos son montículos de conchas de ostras apiladas por los primeros habitantes. Aún se puede ver algunos de estos cerros, aunque muchos desaparecieron en tiempos modernos cuando el material que contenían se usó para construir caminos y vías férreas a través de los pantanos.

Para los estándares de esa época, los antiguos habitantes de la Florida llevaban una vida más fácil que la mayoría de

Hechos y cifras

Población: 9,000,000.
Geografía: 151,670 km. cuadrados de área con la segunda costa más larga de todo Estados Unidos (2,170 km.).
Capital del Estado: Tallahassee (90,000 habitantes).
Clima: Semitropical en la mitad sur del estado, menos extremo en la zona norte; se puede contar con el sol la mayor parte del año; la humedad puede ser muy alta en verano. Hay probabilidad de huracanes de junio a noviembre.
Economía: Industrias de servicios y turismo, cultivo de frutas cítricas y de verduras, crianza de ganado, tabaco, procesamiento de alimentos, productos químicos, equipos eléctricos y de transporte, tecnología espacial.
Cómo llegar: Vuelo en jet desde Nueva York 2 horas y media, desde Londres 9 horas, desde Santiago de Chile, 8 horas.

los cazadores y recolectores. A juzgar por las piezas que se han podido encontrar, tenían tiempo para crear obras de arte como joyería en conchas y hermosas estatuillas. Las tumbas ceremoniales también sugieren una vida religiosa organizada. Alrededor del año 1450 a.C., descubrieron que, a pesar del suelo poco fértil, el clima hacía posible cultivar productos como maíz, calabazas, yuca y pimientos. Los arqueólogos han determinado recientemente que los sistemas de canales de drenaje datan de ese período.

En vísperas del descubrimiento europeo, la población indígena de la Florida alcanzaba decenas de miles y se dividía en cinco naciones. Las principales eran los timucuas en el norte, los apalaches en el brazo del estado y los calusas en el sudoeste.

Descubrimiento europeo

Colón no estaba lejos de la Florida cuando se topó en 1492 con la isla de La Española (en la actualidad Haití y la República Dominicana) en su ruta a "las Indias". Es posible que exploradores posteriores hayan buscado por la costa de la Florida un paso al Pacífico, pero el crédito del descubrimiento del territorio se adjudica a Juan Ponce de León (1460-1521). Aburrido de la vida en España luego de que terminara la guerra contra los moros, se hizo a la mar junto a Colón en su segunda expedición en 1493. El viaje volvió a encender su afición por la aventura y, alrededor de 1508, Ponce iba camino a Puerto Rico. Llegó a ser gobernador de la isla, pero pronto perdió su cargo ante el más influyente Diego Colón, hijo del navegante.

En 1512, el rey de España encargó a Ponce de León que encontrara y explorara la mítica "Isla de Bímini". En la isla, según cuenta la leyenda, existía un manantial que tenía el milagroso poder de devolver la juventud a los ancianos. Sin duda que Ponce, a la sazón de 52 años, estaba inspirado por la esperanza. Si no resultaba, de todas formas existía la expectativa del oro y de los esclavos para asegurarse el bienestar en la vejez.

Zarpando hacia las Bahamas en busca de Bímini, Ponce desembarcó en cambio en la costa de la Florida, el 2 de abril de 1513. Bautizó al nuevo país de acuerdo a la fecha de su calendario, *Pascua la Florida*, la Fiesta de las Flores en Semana Santa. Desde su primer desembarco, cerca de la actual St. Augustine, Ponce y su tripulación navegaron por la costa, más allá de Cabo Cañaveral, a lo largo de los Cayos de la Florida, hacia Tortugas. Desde allí continuaron hacia el norte, siguiendo la costa del Golfo, hacia Charlotte Harbor antes de regresar a Puerto Rico, luego de un viaje de ocho meses. Ponce no había encontrado Bimini, pero sí una inmensa tierra llena de promesas, que su agradecido soberano le concedió el derecho de conquistar, gobernar y colonizar.

Esperanzas frustradas

El descubrimiento de Ponce resultaría ser una desilusión muy amarga para él. En un segundo viaje a la Florida en 1521, el explorador llevó consigo dos barcos, 200 colonos, animales e implementos agrícolas. Si bien Ponce sabía por su primer viaje que los indios de Calusa en el Puerto de Charlotte eran hostiles, decidió desembarcar allí de todas maneras. Sus hombres se encontraban construyendo refugios cuando los atacaron los violentos guerreros. El propio Ponce resultó gravemente herido por una flecha y fue llevado de regreso a su barco. Cuando los desilusionados colonos llegaron a Cuba, su líder se encontraba al borde de la muerte. Fue enterrado en Puerto Rico.

El esquema de grandes expectativas y esperanzas truncadas se repetiría a lo largo de las aventuras posteriores. Pánfilo de Narváez, un seguidor de Cortés, zarpó de Cuba en 1528 con 600 soldados y colonos, pero rápidamente perdió 200 hombres de su hueste en las escaramuzas. Avanzando hacia el interior de la Bahía de Tampa, esperaba encontrar comida y agua fácilmente, pero resultó que casi se murieron de hambre. El mítico oro no aparecía por ninguna parte; los únicos habitantes eran mujeres y niños indígenas pobres que vivían en chozas de barro.

Paralizados de pánico en una tierra extraña y hostil, Narváez y sus seguidores construyeron improvisadas embarcaciones y emprendieron rumbo a México, que pensaban que se encontraba cerca. De los 242 hombres que tripulaban las embarcaciones, sólo cuatro lograron llegar a Ciudad de México. Narváez no se encontraba entre éllos. También desapareció una expedición de búsqueda enviada por la esposa de Narváez.

Sin embargo, Hernando de Soto encabezó otra desafortunada expedición. Rico y famoso a la temprana edad de 36 años, el explorador español zarpó de Cuba hacia la Florida en 1538 con 600 optimistas voluntarios. Al desembarcar en la Bahía de Tampa el 30 de mayo de 1539, fueron recibidos por Juan Ortiz, un sobreviviente de la expedición que salió en búsqueda

Pedro Menénez de Avilés, fundador de San Agustín.

de Narváez. Ortiz entonces ya hablaba la lengua indígena y resultó de incalculable valor a la hora de servir como guía e intérprete. Sin embargo, este favorable comienzo no fue seguido por la buena fortuna. Si bien las huestes de De Soto avanzaron hasta Oklahoma y Kansas en busca de riquezas, no encontraron nada. Cuanto más avanzaban, mayor era su determinación de continuar y encontrar algo, pero nunca lo lograron. La mitad de los hombres, entre éllos el mismo De Soto, murió durante la odisea que duró cuatro años. Los sobrevivientes regresaron a Cuba con las manos vacías.

El primer asentamiento permanente

El control de la costa oriental de la Florida llegó a ser estratégicamente importante tan pronto como las flotas con los tesoros españoles comenzaron a navegar a lo largo de ella, siguiendo la corriente del Golfo de México. Las noticias de que Francia se estaba mostrando interesada en este lugar, impulsó finalmente a España a fundar una colonia permanente. El 8 de septiembre de 1565, Pedro Menéndez de Avilés y un destacamento de soldados llegaron a la desembocadura del río St. John, cerca del actual Jacksonville, donde una hueste de hugonotes franceses habían estado luchando en su pequeño reducto de Fort Caroline.

En ese entonces las dos grandes naciones europeas estaban comprometidas en un encarnizado duelo por el dominio de las colonias y se aprestaban a la batalla. Los franceses, tomados por sorpresa; con sus barcos lejos en el mar, fueron vencidos fácilmente. Más tarde, la flota francesa naufragó en la costa durante una tormenta; los españoles lograron apresar a los sobrevivientes. Enfrentado al problema de qué hacer con los prisioneros, Menéndez decidió que la amenaza a su propia hueste, con sus escasas provisiones de alimentos, era demasiado grande como para ser ignorada. Perdonando a mujeres y niños, católicos y músicos, degolló al resto "no por franceses, sino por luteranos".

Menéndez fundó la primera colonia permanente de Norteamérica a aproximadamente 48 km. (30 millas) al sur de Fort Caroline, la colonia de San Agustín. Ésta sufrió los ataques esporádicos de los indígenas y, en 1586, fue asaltada por el corsario inglés Sir Francis Drake. Las dificultades para defender el puesto de avanzada eran evidentes, pero se consideró esencial y, en respuesta a los últimos asaltos de ingleses, indios y piratas, los españoles construyeron una gigantesca fortaleza de piedra que se conserva hasta nuestros días.

Rivales imperiales

En 1682, Robert Cavelier Sieur de La Salle concluyó su largo viaje por el Mississippi, reclamando los derechos de todo el valle del río para el Rey de Francia, Luis XIV. Cuando Luis intentó sentar en el trono de España a su nieto, Inglaterra fue rápida en prever el peligro. España y Francia unidas podrían imponerse al resto de Europa y al mundo.

En 1702, la Guerra de la Sucesión española llevó a las fuerzas inglesas a internarse en el corazón de la Florida. Si

Retroceda en el tiempo en esta casa en San Agustín erigida por los primeros colonos permanentes de Norteamérica.

Castillo de San Marcos, fortaleza española del siglo XVII en St. Augustine.

bien la fortaleza de San Agustín sobrevivió a un bloqueo de ocho semanas y nunca cayó, los ingleses destruyeron en cuatro años de guerra la mayoría de los otros puestos de avanzada y misiones religiosas de España.

Con el poderío español en decadencia, Inglaterra y Francia podrían concentrarse en su lucha por la dominación de Norteamérica. La guerra de los Siete Años en Europa se expandió hacia el Nuevo Mundo.

A pesar del apoyo de los indígenas, las fuerzas francesas fueron vencidas, dejando a los ingleses amos del continente. En 1763, la Florida fue oficialmente cedida a Inglaterra.

Con los nuevos amos europeos se produjo otro cambio en la población. Los descendientes de los primeros indígenas norteamericanos, aniquilados por las enfermedades europeas, el comercio de esclavos y luchas internas, abandonaron la Florida junto con los españoles para encontrar un hogar más tranquilo en el oeste y en Cuba. Sus tierras y pueblos fueron ocupados por una mezcla de tribus provenientes de Alabama y Georgia llamada seminola (del español *cimarrones,* "fugitivos" o "salvajes").

Los seminoles fueron engatusados por comerciantes ingleses con ollas, cuchillos, armas y hachas. El gobierno dio garantías para organizar las plantaciones y pronto el índigo, el arroz, la trementina, el azúcar y las naranjas se convirtieron en exportaciones lucrativas. Los ingleses habían descubierto una manera de hacer dinero donde los españoles habían fracasado en su intento por encontrar oro.

La colonia perdida

Luego de la derrota de los ingleses en la Guerra de Independencia de Estados Unidos, se devolvió la Florida al gobierno español mediante el Tratado de París de 1783. Pero los seminoles y habitantes europeos de la Florida se mantuvieron fieles a Gran Bretaña, que había desplegado grandes esfuerzos para desarrollar el territorio. En un giro aún más extraño de los acontecimientos, los ingleses, ahora aliados con España en las guerras napoleónicas, desembarcaron sus fuerzas al oeste de la Florida en 1814, sólo para retirarse cuando las tropas estadounidenses, bajo el mando del futuro presidente Andrew Jackson, entraron al territorio en disputa.

Otras incursiones estadounidenses marcaron este último período desafortunado del reinado español. Incapaz de controlar la Florida, España la cedió a Estados Unidos en 1819. En 1821, Jackson se convirtió en su primer gobernador estadounidense.

Los colonos estadounidenses inundaron la Florida, causando consternación entre

Cañón del siglo XVIII.

los antiguos habitantes. Los seminoles fueron gradualmente empujados de las fértiles tierras del norte hacia los Everglades. Luego, en 1830, Andrew Jackson, en ese entonces presidente, firmó una ley del Congreso que ordenaba a todos los indígenas estadounidenses ocupar nuevas tierras en los territorios fronterizos del oeste. Algunos aceptaron, otros permanecieron en sus tierras y lucharon por ellas. En la guerra de los seminoles, que se extendió de 1835 a 1842, se hizo evidente que las fuerzas convencionales estadounidenses no estaban preparadas para combatir las tácticas relámpago de los adversarios, que podían desaparecer en los brumosos pantanos del sur de la Florida. El líder seminola Osceola, fue apresado, si bien bajo una bandera de tregua, y murió en prisión poco tiempo después.

Sus seguidores no abandonaron la lucha, pero fueron obligados a internarse en los Everglades. La guerra terminó finalmente en un punto muerto, pero sólo quedaron unos pocos cientos de seminoles, en pueblos dispersos.

La Guerra Civil

La paz vino acompañada de una creciente prosperidad y, en 1845, el estado de la Florida se incorporó como el 27 de la

Whitehall, la mansión del magnate de los ferrocarriles Henry Flagler, en Palm Beach.

Unión. Hubo una nueva ola de inmigrantes provenientes del
norte, pero la mayor parte del poder local descansaba en las
manos de los dueños de plantaciones, quienes dependían del
trabajo de los esclavos. De esta manera, la Florida se puso de
parte de los estados del sur durante la Guerra Civil norteamericana, retirándose de la Unión en 1861 e incorporándose
a la Confederación. Pero repitiendo el conflicto entre España
e Inglaterra, las fuerzas de la Unión provenientes del norte rápidamente tomaron y ocuparon la mayoría de los puertos y
fuertes de la Florida. Muchas tropas confederadas fueron enviadas a pelear batallas lejanas y a los que quedaron los en-
cargaron de asaltar las líneas de suministros.

Con el término de la guerra en 1865 llegó la libertad nominal para los esclavos, si bien de hecho muchos continuaron
trabajando para sus antiguos amos en condiciones ligera-
mente mejores. Sus esperanzas por obtener una igualdad de
derechos se vieron frustradas y un gobierno estatal segrega-
cionista y corrupto asumió el poder en la Florida. Con todo,
la guerra y sus consecuencias desastrosas hicieron que inver-
sionistas del norte se interesaran por el estado. Éste no había
sufrido tanta destrucción como el resto de los estados del sur
y habría de desarrollarse de un modo bastante distinto.

Los magnates de los ferrocarriles y los primeros turistas

En los últimos veinticinco años del siglo XIX, varios em-
prendedores hombres de negocios habían descubierto el po-
tencial geográfico y climático del estado. Dos nombres se
destacan: Henry Morrison Flagler y Henry Bradley Plant.
Ambos poseían el tipo de espíritu pionero que fue el motor
de esa área en expansión. Aún más, contaban con el capital
para convertir sus sueños en realidad. El Ferrocarril de la
Costa Este (East Coast Railroad) de Flagler viajó a través de
pantanos y selvas, alcanzando la ciudad de Miami en 1896 y
llegando más tarde al mar y Cayo Hueso. Las líneas férreas
de Henry Plant que llegaban a Tampa y a ciudades más ale-
jadas permitieron tener acceso al centro y oeste de la Florida.

Las buenas noticias no tardaron en propagarse y pronto

comenzaron a llegar turistas en gran cantidad. También llegaron colonos que ocuparon estas tierras en forma permanente. entre 1870 y 1890, la población de la Florida se duplicó y ha continuado creciendo desde entonces. Como también ha aumentado la necesidad de más tierra. Fue el gobernador del estado de nombre memorable, Napoleón Bonaparte Broward, quien sacó la primera palada de tierra en 1905 para dar inicio a un programa de drenaje de gran envergadura. Cientos de miles de canales y diques transformaron enormes extensiones de los Everglades en tierra firme. Alabada en su momento, la obra es hoy en día considerada un desastre por los conservacionistas y se están llevando a cabo intentos limitados por revertir el proceso en algunos lugares.

El auge turístico casi terminó en motín a mediados de la década de los veinte, cuando los precios de los bienes raíces comenzaron a irse a las nubes. Repentinamente, miles de estadounidenses desearon convertirse en propietarios de un pedazo de la Florida para pasar las vacaciones, disfrutar su jubilación o sólo como inversión. Más de 2,000 llegadas diarias inundaron el estado y pronto los ferrocarriles prohibieron que los trenes anunciaran a Miami como su lugar de destino. Luego la realidad comenzó a restablecer el equilibrio. Un barco proveniente del norte que transportaba futuros habitantes de la Florida se hundió en Biscayne Bay; un huracán en 1926 causó estragos en el área de Miami; los precios de la tierra cayeron a niveles nunca antes vistos y, con el comienzo de la Gran Depresión de 1929, se acabaron los años de bonanza.

La Segunda Guerra Mundial y los años que siguieron

La economía de la Florida no se recuperó hasta comienzos de la Segunda Guerra Mundial, cuando miles de reclutas llegaron a la ciudad para ser entrenados en bases militares del estado. Estos modernos soldados y marinos se rindieron al mismo embrujo que sus predecesores. Al llegar la paz, muchos, recordando el cálido sol sureño, regresaron a la Florida para emprender negocios, formar una familia y más tarde retirarse. La economía del estado se diversificó. Se desarrolló la agricultura del estado para proveer de verduras de invierno al norte y de otras frutas, especialmente cítricos. Los criadores de ganado se beneficiaron con los bajos precios de las tierras del interior de la Florida. La revolución cubana de 1959 trajo consigo una afluencia de 300,000 cubanos, lo que se tradujo en un aumento de la población de Miami.

¿Cómo se llama el huracán?

¿Alicia o Arturo? Era tradicional dar nombres femeninos a los huracanes: hoy en día, para evitar la discriminación sexual, se alternan. Pero como sea que la gente los llame, no influye en el resultado de estas terriblemente poderosas tormentas tropicales que arrasan Florida de tiempo en tiempo con vientos de hasta 240 km. por hora. Los violentos ventarrones, los torrentes de lluvia y las crecidas del mar pueden parecer emocionantes para un espectador pero, de hecho, son aterradores y con frecuencia trágicos.

El peor huracán que ha asolado Florida en los últimos 60 años tuvo lugar el 24 de agosto de 1992. La tormenta más violenta de los últimos 60 años, el huracán Andrew golpeó las costas de Florida cerca del pequeño pueblo de Homestead, 48 km. (30 millas) al sur de Miami Beach, luego avanzó a través del estado arrasando todo a su paso hasta llegar al Golfo de México. Hubo veintisiete muertos y los daños materiales ascendieron a cientos de millones de dólares. Afortunadamente, la fuerza devastadora del huracán afectó un área relativamente pequeña del sector sur del condado de Dade. Los masivos esfuerzos de ayuda, entre ellos un gigantesco proyecto denominado "Trabajo de Amor", organizado el fin de semana del Día del Trabajo en Estados Unidos, significó que virtualmente se levantaran y pusieran en funcionamiento nuevamente todos los hoteles y atracciones de la Florida a los pocos días de ocurrido el huracán.

De acuerdo con las estadísticas, los huracanes azotan la Florida sólo una vez cada siete años, entre los meses de junio y noviembre. Por lo tanto, la posibilidad de que usted se encuentre en el lugar equivocado en el momento equivocado es mínima.

Las últimas décadas han observado cómo persiste la relación de amor con la Florida. Aviones gigantescos traen más veraneantes que nunca. Los fanáticos del sol en invierno viajan por las carreteras interestatales desde las heladas ciudades del norte en sólo un par de días.

Sin embargo, la palabra "viaje" adquiere otra dimensión en la Florida: fue desde Cabo Cañaveral, en la costa atlántica, desde donde Estados Unidos por primera vez se aventuró en el espacio. Desde 1950, con el lanzamiento de un V-2 alemán modificado, el cabo ha sido testigo del despegue de cohetes cada vez más poderosos. Desde el Centro Espacial Kennedy, los astronautas estadounidenses partieron hacia el espacio para realizar el primer alunizaje del hombre en 1969. Hoy en día, las multitudes se congregan en la "Costa Espacial" para observar el lanzamiento de naves espaciales que se ponen en órbita.

Nueva era, viejos objetivos

Cuando Walt Disney comenzó a comprar discretamente las tierras cerca de Orlando a fines de la década de los sesenta, inició un proceso que transformaría el turismo de la Florida más allá de todo lo imaginable. Durante mucho tiempo había existido un puñado de "diversiones" construidas con fines vacacionales pero, al inaugurarse Walt Disney World en 1971, éstas parecieron insignificantes y como de simples aficionados. Algunas aceptaron el reto, otras sucumbieron. Hoy en día, Disney Word cuenta con una infraestructura cuatro veces mayor que la que tenía cuando se inauguró y es el destino vacacional más famoso de la tierra. Otros parques temáticos se agrupan a su alrededor por algo de acción; además, Orlando se ha transformado de un aletargado pueblo en la ciudad con más habitaciones de hotel que cualquier otra ciudad de Estados Unidos.

Los viajeros europeos consideran a Miami y Orlando entre las ciudades más accesibles del Nuevo Mundo. Los refugiados del gélido norte y del Caribe aún llegan por miles. Los exploradores españoles buscaban oro y la fuente de la juventud. Los objetivos de los actuales visitantes no son muy diferentes.

DÓNDE IR

En términos de tamaño, la Florida se encuentra entre los 22 estados más grandes de Estados Unidos pero, con más de 150,000 km², es del tamaño de Inglaterra y Gales juntos. Hay más que suficiente para ver, hacer y mantenerse ocupado durante meses, sin hablar de las dos semanas de vacaciones promedio. De manera que tendrá que elegir. ¿La costa del golfo o la costa atlántica? ¿Combinada con Walt Disney World? ¿También Miami y el sur de Florida? ¿O entonces dónde?

La mayoría de los visitantes arriendan un automóvil. Es sin duda el mejor medio para salir a recorrer, aún si planea permanecer en un sector. Los precios son económicos, el combustible es barato, los caminos son buenos y no muy transitados y es fácil ubicarse.

En este libro viajamos al norte desde Miami hacia la costa atlántica pasando por Fort Lauderdale, Palm Beach, y la "Costa Espacial" hasta St. Augustine. Luego damos una mirada a los florecientes Orlando y Florida central, sede de Walt Disney World y varios otros parques temáticos, antes de dirigirnos al sur hacia los Everglades y los Cayos de la Florida. Finalmente, visitaremos los complejos turísticos que están experimentando una rápida expansión en la Costa del Golfo, viajando hacia el norte desde Naples a Clearwater Beach. Pero antes está un famoso centro vacacional estadounidense, que en el último tiempo ha experimentado una sorprendente reactivación.

☛ MIAMI BEACH

La ciudad de Miami Beach, "donde el sol pasa el invierno" es en realidad una angosta faja de tierra de 11 km. (7 millas) separada de Miami continental por Biscayne Bay y unida a ella por unas calzadas. Es en este lugar donde encontrará algo de la opulencia y gusto por lo impetuoso que ha llegado a ser tan parte de la leyenda estadounidense como el indómito Oeste.

Collins Avenue es la columna vertebral que recorre la isla de

norte a sur y está rodeada de hoteles y departamentos
vacacionales. Los complejos turísticos alcanzaron su apogeo
en la década de los cincuenta, cuando enormes palacios de
placer aspiraron a convertirse en los más grandes y lujosos de
la ciudad; 20 años más tarde, el lugar pasó de moda.

Hoy en día, el lugar se ha repuesto y está siendo descubierto por una nueva generación. Los hoteles han remozado
sus fachadas y aún intentan superarse unos a otros, pero, a
excepción de la temporada alta, la competencia adquiere la
forma de ofertas a precios especiales.

Como contraste, se encuentran los hoteles estilo Art-Deco
y los departamentos de autoservicio más modestos de la zona
de **South Beach**, un área desarrollada en la década de los treinta
y que ahora ha cobrado nueva vida. La costa que se extiende
a lo largo de **Ocean Drive** se ve beneficiada por una amplia
franja de césped y, especialmente entre las calles 10a y 13a, se
ha transformado en un lugar de moda que vale la pena visitar.
Las mo-delos auténticas o potenciales y otra "gente interesante"
desfilan en los bares al aire libre, mientras los ciclistas y pati-

*El mundialmente famoso complejo turístico de Miami
Beach, donde el sol pasa el invierno.*

nadores circulan por el atascado tránsito del atardecer.

El **Bass Museum of Art** (a poca distancia de la Collins Avenue con la calle 21) cuenta con una pequeña pero exclusiva colección que incluye esculturas barrocas, retratos estilo regencia, bronces tibetanos y nepaleses y, apropiadamente, diseños arquitectónicos de la década de los treinta.

El sector comercial de Miami Beach, inmediatamente al norte de South Beach, comprende Lincoln Road Mall, una calle peatonal. La mayoría de los alojamientos con precios módicos se encuentran entre South Beach y la calle 41. Luego, más arriba del Arthur Godfrey Road, se encuentran los hoteles más exclusivos, entre ellos el legendario **Fontainebleau Hilton.** (Si conduce hacia el norte de Collins Avenue, verá un gigantesco mural de un hotel que parece bloquear el camino.) El "Fount'n-Blue", como generalmente se pronuncia en inglés, es un complejo turístico en sí mismo, con piscinas, cascadas, cavernas, bares ocultos, tiendas, un centro tenístico y un acuario. Se ha modernizado, pero permanece el recuerdo de un Estados Unidos que hoy sólo es posible encontrar en las películas, cuando las estrellas de Hollywood se alojaban frecuentemente en el Fontainebleau.

La **pasarela** en la arena de Miami Beach comienza en la calle 21 y recorre los grandes hoteles y la playa hasta la calle 46. Al inaugurarse en 1984, el paseo fue todo un éxito con sus pabellones techados que ofrecen lugares para sentarse a la sombra. La playa es extensa y plana, pero no muy atractiva; resulta difícil tener acceso al norte de la calle 46. (Muy a menudo en Estados Unidos, si bien la costa en su mayoría está abierta al público, la propiedad privada prohíbe el ingreso a las playas y existen muy pocos lugares de acceso.) Alrededor de la calle 74 encontrará nuevamente hoteles más modestos y una sensación de pueblo pequeño.

Norte de Miami Beach

Hacia el norte de Miami Beach a lo largo de la hilera de islas costeras, la ruta A1A pasa por el agradable complejo turístico de **Surfside** (cerca de la calle 93) y luego por **Bal Harbour**, con sus condominios con fachadas tipo panal de

Embarcaciones ancladas en Bal Harbour al norte de Miami Beach.

abejas y sus elegantes hoteles. No deje de visitar Bal Harbour Shops, un lujoso centro comercial famoso tanto por sus instalaciones como por sus productos.

Avanzando por la A1A, **Haulover Park** se encajona entre la bahía y el océano. En el lado de la bahía, Haulover Marina cuenta con amarraderos para decenas de botes pesqueros y es el punto de partida de los cruceros que navegan a lo largo del Intra-Coastal Waterway hacia Fort Lauderdale. El lado del parque que da al océano tiene una playa apropiada para grupos familiares, con áreas de picnic.

Las Sunny Isles (cerca de la calle 167) atraen a veraneantes que viajan con paquetes turísticos. Se puede pescar desde el muelle, ir a bailar a los clubes nocturnos y asistir a un cabaret. A poca distancia, en tierra firme, junto a la calle 167 cerca de la U.S. 1, encontrará el tranquilo **Monasterio de San Bernardo** (o antiguo **Monasterio Español**), considerado "el edificio más antiguo de Norteamérica". ¡De hecho, sólo ha estado aquí desde la década de los cincuenta! Los claustros del siglo XII que originalmente estaban en Segovia, España, fueron comprados por el magnate de la prensa William Randolph Hearst para su hacienda en San Simeón, California, desmantelados y enviados por barco hacia Estados Unidos en 1925. Se numeraron todas las cajas, pero los inspectores de aduana las abrieron y mezclaron las piedras. Hearst perdió el interés y le tocó a otros la tarea de volver a armar el rompecabezas.

Cerca de la calle 196, el sector de **Aventura** es famoso por sus exclusivos complejos turísticos con canchas de golf y de tenis y por un centro comercial que es enorme incluso para los estándares locales. Los complejos turísticos se siguen extendiendo en una línea ininterrumpida hacia el norte, pero ahora regresamos a la enorme metrópolis de la Florida, Miami.

MIAMI

Ciudad tan latinoamericana como norteamericana, con tantos hispanos como angloparlantes, Miami es una película rápida. Era solamente un pueblo cuando, en

El Distrito Art Deco

Gracias a la extraordinaria cantidad de edificios "modernos y aerodinámicos", el área de 2.6 km^2 (una milla cuadrada) de Miami Beach, conocida como Distrito Art Deco ha sido declarada zona de conservación nacional. En ningún otro lugar de Estados Unidos existe tal concentración de obras arquitectónicas de la década de los treinta y comienzo de los cuarenta. Los hoteles y departamentos se construyeron a un bajo costo empleando concreto moldeado y estuco y se decoraron con cromo, acero inoxidable, bloques de vidrio y plásticos. Burlándose de la depresión, el llamativo estilo comenzó a atraer a una nueva generación de turistas de clase media. La Miami Design Preservation League organiza giras guiadas por este excepcional sector (tel. 672-2014). Si lo recorre solo, pasee a lo largo de la Ocean Drive entre las calles 5 y 15 y las cuadras aledañas del lado oeste.

1896, al magnate de los ferrocarriles Henry Flagler fue persuadido de que prolongara sus vías férreas hasta este lugar tan al sur. Hoy en día, la población metropolitana alcanza casi los 2 millones y los suburbios se extienden unos 50 km. Algunos vecindarios viven un período de prosperidad, otros de decadencia y otros son definitivamente áreas "que deben evitarse".

El ferrocarril elevado del Metrorail transporta gente de los suburbios del norte y del sur hacia el centro de la ciudad, mientras que el Metromover recorre el distrito central. Vale la pena pasear en él por la diversión y el paisaje. El sistema en realidad no cubre una gran extensión de terreno. Se construyó como parte de un programa de mejoramiento del centro de Miami, que ciertamente tiene más vida que la que tenía en la década de los setenta, aún cuando las tiendas en su mayoría corresponden al tipo de las que ganan dinero fácil y rápidamente.

Flagler Street, la principal arteria que se extiende de este a oeste, corresponde al "cero" en el sistema de numeración de las calles de Miami. Las calles van de este a oeste, las avenidas de norte a sur con la **Avenida Miami** como el "cero". En los cuatro cuadrantes que así se forman, las calles y las avenidas se denominan NE, SE, SW y NW. (Ver el mapa de Miami y de Miami Beach en las solapas).

El **Metro-Dade Cultural Center** (101 West Flagler Street), un edificio formado por galerías alrededor de una plaza central, fue diseñado en estilo postmodernista por Philip Johnson. Bajo un mismo techo se encuentra el Center for the Fine Arts (galería de arte y patio de esculturas con espacio para realizar exposiciones temporales), un auditorio, la biblioteca pública central de Miami y el **Historical Museum of Southern la Florida**. Este último presenta decenas de exposiciones interactivas. Por ejemplo, puede zarpar y recoger el aparejo de un antiguo bote de vela, símbolo de la era de los pioneros de la Florida.

Biscayne Boulevard, cerca de la costa, hace las veces de la ruta del desfile anual del Orange Bowl que se celebra en la víspera de Año Nuevo. El **Omni**, un enorme centro comer-

Los modernos edificios del centro de Miami
se recortan contra el horizonte.

cial, con diversiones y un complejo hotelero, ocupa un sector que da al boulevard cercano al Venetian Causeway que va a Miami Beach.

Flagler Street se junta con Biscayne Boulevard y la bahía en Bayfront Park. La gran atracción aquí es **Bayside,** un complejo costero de tiendas y restaurantes con su muelle propio, amarraderos para yates, paseos y diversiones gratuitas. Al norte y cruzando un puente levadizo se encuentra el **Puerto de Miami**, donde tienen su base los elegantes cruceros que navegan por el Caribe.

En el Seaquarium de Miami, las orcas divierten a la multitud con sus saltos.

A sur de Bayfront Park, Du Pont Plaza alberga al **Miami Convention Center**, con capacidad para 5,000 personas, y varios hoteles. Al otro lado de Miami River hacia el sur se encuentra Brickell Avenue, el "Wall Street", rodeado de altos edificios para oficinas y complejos de departamentos.

Mientras **La Pequeña Habana** comienza en el centro de Miami, el centro del distrito es una sección compuesta por 30 cuadras que se extiende hacia el oeste por la SW 8th Street llamada *Calle Ocho*. En este lugar, los restaurantes se especializan en la cocina cubana y en otras cocinas latinoamericanas; en las cafeterías del sector se sirve el fuerte y aromático *café cubano*. De igual forma, una gran cantidad de pequeños negocios florece en el área. Se calcula que más de 600,000 cubanos viven actualmente en Miami, convirtiéndolos en el grupo étnico más grande de la ciudad.

Key Biscayne

Al **Seaquarium,** uno de los primeros parques marinos, se llega por Rickenbacker Causeway, "la colina más empinada de Miami", que forma un arco sobre la bahía hacia la isla de Key Biscayne. Comparado con el Sea World de Orlando, éste se ve más antiguo, pero tiene el mérito de que uno está muy cerca de la acción.

Los espectáculos están programados de manera que los espectadores puedan ir de una presentación a otra para ver como se alimentan los tiburones, los malabares de los leones marinos, las acrobacias en el aire de las orcas y el baloncesto de los delfines, el "Miami Heatwave" (Ola de calor de Miami) (no confundir con el equipo humano del lugar, el Miami Heat) (Calor de Miami). Estos amistosos acróbatas viven aquí desde hace mucho tiempo, pero el delfín llamado "Flipper", la estrella de este lugar, es un sucesor, no el auténtico delfín que tuvo un programa de TV años atrás.

El Seaquarium es uno de los pocos lugares donde usted puede ver el exótico manatí, o vaca marina. Estos mamíferos parecidos a las focas solían vivir en grandes cantidades en los cursos fluviales de la Florida antes de la llegada de las lanchas de motor, que mataron a muchos de estos animales.

El sector norte de Key Biscayne pertenece al **Crandon Park**, una extensa playa pública con instalaciones para hacer picnic. No recoja las algas que se encuentran a lo largo de la playa; evitan la erosión de la arena.

El extremo sur de la isla es el **Área de recreación estatal de Bill Baggs** , lugar donde en 1825 se construyó el faro del Cabo de la Florida. Hoy en día se ha abierto nuevamente al público la mayor parte del parque que fue devastado por el huracán Andrew en 1992.

La cabaña del guardabosque

Un sector de moda: el Coconut Grove en las costas de Biscayne Bay.

resultó totalmente destruida, pero aún se conserva el faro y se puede visitar.

Los "Gables" y el "Grove"

Al sudoeste del centro de la ciudad, la opulenta comunidad de Coral Gables se encuentra adornada con fuentes, jardines tropicales y arquitectura española. El **Lowe Art Museum** en el recinto de la Universidad de Miami (1301 Stanford Drive) presenta colecciones de arte estadounidense primitivo e indígena, pinturas españolas del siglo XVII y arte del siglo XX, especialmente esculturas.

Coconut Grove es una alegre mezcla de pueblo y suburbio en las costas de la bahía, con acogedoras tiendas pequeñas, ciclovías, cafés al aire libre, clubes y teatros en vivo. Se remonta a los años en que Miami aún no existía, unos cuantos edificios antiguos aún sobreviven, entre los que destaca **The Barnacle**, construido con maderas recuperadas de los naufragios.

Más abajo junto al protegido puerto de yates, el pequeño edificio Art Deco que ahora es el **Miami City Hall**, en sus orígenes funcionó como terminal de los hidroaviones de Pan American, que despegaban de la bahía hacia Cuba y otros lugares del sur en la década de los treinta. Avanzada la tarde, pasee por el centro del Grove para observar a los avezados patinadores deslizarse entre el tránsito, pero no se aleje dema-siado hacia el oeste, un área notoriamente peligrosa.

Hacia el final de Coconut Grove podrá visitar el palacio de **Vizcaya** de estilo italiano (3251 S. Miami Avenue) que fue construido por el magnate de los tractores James Deer-ing. En una extraña pero imponente mezcla de estilos, el palacio está decorado con tapices, grandes muebles y escul-turas clásicas. En su exterior, las elegantes terrazas se ex-tienden hasta la bahía, pero los terrenos también incluyen una densa selva, intacta gracias a la insistencia de Deering. Cuando recorra la casa siga la detallada guía de Vizcaya.

Por South Miami Avenue, frente al palacio de Vizcaya, está el **Museo de Ciencias** que presenta una decena de exposiciones prácticas, mientras que el contiguo **Space Transit Planetarium** muestra una serie de espectáculos láser multimedia sobre diferentes aspectos de la astronomía. El vecino centro de vida silvestre ofrece un hogar seguro a las aves de rapiña heridas.

Hacia el sur de la ciudad

Hacia el sur de Old Cutler Road, el exuberante **Fairchild Tropical Garden** comprende más de 32 hectáreas de plantas, árboles, arbustos y flores tropicales. Puede recorrerlo tomando una gira guiada o bien se puede pasear a pie por el sector.

Cerca del parque, a poca distancia de la Avenida 57, los guacamayos, flamencos y otras aves exóticas del **Parrot Jungle** aparentemente circulan sin ninguna restricción por el lugar. Los papagayos comen de su mano, puede alimentarlos con las semillas autorizadas que se expenden en las máquinas automáticas. Las aves entrenadas andan en bicicleta, en patines y hasta cuentan, mientras que los "Senior Psittacines", papagayos de 50 años o más que ya no actúan, dormitan felices de la vida en sus argollas.

Exótica vida silvestre en el Metrozoo.

Hacia el sur, en el 12400 de la calle 152 SW se encuentra el **Metrozoo,** donde no existen las jaulas, uno de los más grandes y modernos zoológicos de Estados Unidos; hogar de tigres blancos de Bengala, gorilas, jirafas y elefantes. Se puede recorrer el parque en el monorriel, que nuevamente ha entrado en funcionamiento después de haber sido seriamente dañado durante el huracán de 1992. El espectacular aviario se puede recorrer a pie; fue virtualmente destruido en 1992 y ahora está en proceso de reconstrucción. Para obtener información acerca del estado de las obras de reparación, llame al (305) 251-0400.

Justo al frente de la entrada principal del Metrozoo, el **Gold Coast Railroad Museum** ha reunido gran variedad de material rodante histórico. La principal pieza exhibida es el Vagón Presidencial U.S. número 1, *Ferdinand Magellan*, transformado para Franklin Roosevelt, pero usado principalmente por Harry Truman en una gira de 28,000 millas durante la campaña presidencial realizada en 1948; hoy en día se le considera una pieza histórica nacional.

A aproximadamente una hora hacia el sur de Miami se encuentra **Monkey Jungle** (en la calle 216 SW), que mantiene a los visitantes humanos enjaulados, mientras unos 500

Las exóticas aves de vivos colores proporcionan gran diversión en el Parrot Jungle.

primates tiene completa libertad para columpiarse, trepar árboles y lanzarse al aire en la cultivada selva tropical.

El **Parque nacional de Biscayne** ofrece actividades de esnórquel, buceo y natación en los arrecifes de coral que rodean Elliott Key y 23 islitas circundantes. Desde Convoy Point cerca de Homestead, los botes del parque llevan a los visitantes hacia el arrecife de coral.

LA COSTA DE ORO (GOLD COAST)

Al menos cinco diferentes rutas llevan al norte de Miami a lo largo de esta famosa franja de 112 km. de la costa atlántica. La antigua carretera U.S 1 se prolonga inmediatamente junto a la costa, luego viene la Interestatal I-95 de múltiples sendas, que es mejor si desea viajar rápido; la carretera la Florida Turnpike con cobro de peaje y la U.S. 441 corren más al interior que las demás. La más cercana al mar es la ruta A1A. Durante la mayor parte del camino, la A1A une las islas de la barrera de coral; hay algunas vistas fabulosas a lo largo del camino, pero los numerosos semáforos pueden hacer que el viaje sea más lento.

Esta línea costera incluye media docena de los complejos turísticos invernales más famosos de la Florida, todos con amplias alamedas, bancos pintados de color blanco, moteles, hoteles, condominios y restaurantes. A primera vista cuesta distinguir un lugar de otro, pero cada uno tiene suficiente individualidad como para despertar la lealtad de sus muchos visitantes regulares.

Los primeros complejos turísticos más bien tranquilos de Miami son **Hallandale** y **Hollywood,** este último más rural en su extremo norte. Ambos lugares son los preferidos por la gente mayor, especialmente canadienses. **Dania,** al noroeste de Hollywood, es conocido como la capital de las antigüedades de la Florida; los comerciantes han establecido tiendas al aire libre a lo largo de toda la U.S.1. Dania tiene también su propio frontón de Jai Alai.

Fort Lauderdale tiene una extensión de más de 320 km. de canales navegables interiores con más de 30,000 embarcaciones y yates privados. La mayoría de los hoteles y cientos de moteles están frente a la playa y separados de ella por el camino costero. En una visita de tarde, puede estacionarse mirando hacia las olas y hacer excursiones a los restaurantes que hay a lo largo de la carretera.

La mejor manera de conocer la ciudad es dar un paseo en uno de los "trams" con neumáticos que visitan los lugares de interés de la ciudad. Los guías hacen observaciones a medida que recorre las elegantes casas costeras, el museo del automóvil, los naranjales y el Pueblo de los Seminoles, donde puede observar luchas con cocodrilos o jugar bingo con altas apuestas. (La nación autónoma de los seminoles puede pasar por alto las leyes estatales respecto a los juegos de azar).

Para un completo cambio de escena, visite el **Museum of Art** (1 E. Las Olas Boulevard) que exhibe su arte definido y enfáticamente moderno, además de diversas colecciones etnográficas.

Ocean World con la calle 17 Sudeste divierte a los visitantes con sus espectáculos de delfines y leones marinos, estanques con tiburones, tor-

tugas, peces del arrecife y cocodrilos, así como varios monos y guacamayos enjaulados.

Frente al Ocean World se encuentra Port Everglades, cuyo nombre se presta para confusión, terminal de cruceros y buques de carga. Desde Fort Lauderdale zarpa todo tipo de **cruceros de excursión**, algunos hasta las Bahamas. Los barcos con paletas al estilo de los del río Mississippi realizan viajes regulares por el día a los manglares y cruceros con cena incluida por la Intra-Coastal Waterway.

Al norte de Fort Lauderdale está **Pompano Beach**, rodeada de enormes condominios y conocida por las carreras de trotones que se llevan a cabo en Pompano Park. El alto costo de los estacionamientos hace que la playa sea más tranquila en **Boca Ratón**, donde tanta gente pesca desde la playa como se baña. Boca afirma ser la "Capital mundial del polo de invierno". El deporte se practica los domingos entre enero y abril.

Al norte, más allá de los departamentos y clubes de golf de Delray Beach llegará a **Lake Worth**. Casino Park Beach es una franja de arena con una suave inclinación junto al Kreusler Memorial Park que a veces tiene buenas olas para surf. El **Museum of Art** (601 Lake Avenue) alberga exposiciones en un cine Art Deco remodelado.

DE PALM BEACH A ST. AUGUSTINE

Palm Beach

Aquí las hermosas casas de estilo italiano están semiescondidas tras los muros y recortados setos; es una de las comunidades más pudientes de Estados Unidos. Algunas de las casas que pueblan la franja de 8 km. de tierra se usan sólo un par de semanas cada invierno, mientras que el resto del año permanecen vacías. Otras pueden arrendarse a los visitantes. Conduzca por la A1A para admirar los jardines ornamentales y ver cómo hacen las cosas los ricos cuando tienen la oportunidad. Desde Navidad hasta fines de febrero, resulta difícil estacionarse, o incluso detenerse; en otras épocas, Palm Beach es muy tranquilo. La playa en sí misma es angosta, ya que las tormentas la han erosionado en gran parte.

Para dar otra mirada al buen estilo de vida, pasee por la glamorosa **Worth Avenue** entre los edificios de estilo mediterráneo de la década de los veinte con patios llenos de palmeras y de elegantes tiendas y restaurantes.

Todo esto hace que comparativamente Rodeo Drive de Beverly Hills se vea de menor categoría. Las obras de teatro vienen directamente de Broadway a pasar el invierno al Royal Poinciana Playhouse.

El **Henry Morrison Flagler Museum** en Coconut Row, construido en 1901 y conocido como "Whitehall", antiguamente era la extravagan- te mansión del magnate de los ferrocarriles aún conserva

Viajar con estilo: vagón de uso exclusivo del magnate de los ferrocarriles Henry Flagler.

alguno de los muebles y fotografías originales. El vagón de uso exclusivo de Flagler está estacionado en el jardín; con la ducha revestida de cobre y estufa de hierro fundido incluidas.

Al otro lado de la carretera, **West Palm Beach** tiene los moteles, negocios, industria ligera y aeropuerto internacional que su elegante vecino no estaba preparado para albergar. La **Norton Gallery of Art** en la U.S. 1 (1451 S. Olive Avenue) tiene una espléndida colección de impresionistas y post-impresionistas franceses, como *La agonía en el jardín* de Gauguin así como algunas valiosas piezas chinas de jade.

Saliendo de West Palm Beach, en Blue Heron Boulevard la carretera lleva hasta Palm Beach Shores un nuevo complejo de hoteles y moteles con una variedad de instalaciones destinadas a la recreación. Más al interior, en el **Lion Country Safari** se puede conducir entre manadas de elefantes y cebras, pasando junto a leones y avestruces. Si viene en un automóvil conver-tible, tendrá que cambiarlo por uno de los automóviles del parque. El área denominada Gold Coast (Costa de Oro) termina en West Palm Beach. Las playas de la Florida se extienden por otros 480 km. hacia el norte hasta la frontera del estado tomando diferentes nombres (Treasure Coast, Space Coast, and First Coast).

La **Treasure Coast** (Costa del Tesoro) debe su nombre a los barcos españoles que se hundieron a lo largo de ella, dejando caer sus cargamentos de oro y plata. (Pero, a decir verdad, cualquier parte de la costa atlántica de la Florida podría reclamar el mismo derecho). Alguna vez fue un manglar con bancos de arena costeros, ahora es en gran parte una larga cadena de islas separadas del continente por una franja de agua salada llamada Indian River o Indian Creek. La tranquila ruta A1A conecta las islas y los complejos turísticos, frecuentemente atravesando los puentes donde el Indian River se une al océano mediante ensenadas.

El **Parque estatal Jonathan Dickenson,** 20 km. (13 millas) al sur de Stuart, ofrece cabañas de veraneo, sistemas de enganche para los vehículos de remolque y todos los implementos necesarios para pescar, nadar, pasear en bote, remar en canoa y hacer excursiones. **Jupiter Beach** hacia el sur y Jupiter Island hacia el norte se encuentran en su mayoría sin construcciones aún y hay una gran cantidad de estacionamientos gratuito. Entre Fort Pierce y Melbourne, las dunas de arena, las tiendas de conchas, los moteles y los ocasionales restaurantes especializados en carnes son las principales características del paisaje.

Space Coast

Una reserva natural de cocodrilos, águilas y armadillos comparte **Merritt Island** con los aromáticos naranjales y la NASA (la Administración Nacional de Aeronáutica y del Espacio). Aquí, en Cabo Cañaveral, Estados Unidos comenzó a enviar cohetes al espacio en la década de los cincuenta.

En las cercanías, el **Centro Espacial John F. Kennedy** ha sido el lugar de lanzamiento de las exploraciones estadounidenses tripuladas al espacio, incluida la primera misión que llevó un hombre a la luna en 1969. En la actualidad es la base de los transbordadores espaciales. Para averiguar cuándo se ha programado el siguiente despegue, revise los periódicos. Haya o no haya un lanzamiento, vale la pena visitar el Spaceport situado a poca distancia de la NASA Causeway que une la A1A y la U.S.1. Cuente con demorarse al menos medio día.

Observe el espectacular despegue de las naves espaciales en el Centro Espacial J.F.K.

El "Rocket Garden" incluye el tipo de plataformas de lanzamiento que pusieron a los primeros estadounidenses en el espacio; es notable lo pequeñas que se ven ahora. El **Astronauts' Memorial** rinde honores a aquéllos que murieron durante el programa espacial. Se trata de una adecuada mezcla de tecnología y escultura, gira con el sol y refleja la luz detrás de sus nombres. Espectáculos y exposiciones de multimedia explican la sorprendente tecnología de los viajes espaciales, además se exhibe un pequeño trozo de una auténtica roca lunar.

En el **Red Bus Tour** (el programa puede variar debido a razones operacionales), le mostrarán los momentos más importantes del programa de alunizaje. Éste incluye el gigantesco VAB (Edificio de Ensamblaje de Vehículos Espaciales) de 158 metros, un enorme cohete lunar Saturno, la plataforma de lanzamientos a la luna y la sala de control de las misiones. El Blue Bus Tour es más apropiado para los amantes de los cohetes; trata del programa no tripulado. Las **películas IMAX** que se exhiben en enormes pantallas de cinco pisos de altura son emocionantes: *The Dream is Alive* (El sueño está vivo), también exhibido en el Museo del Aire y del Espacio de Washington, D.C., es la historia del transbor-

---

Último lanzamiento con equipos antiguos

Cuando en 1961 el presidente Kennedy anunció que Estados Unidos pondría un hombre en la luna (y lo traería de vuelta) antes del término de la década, nadie se imaginaba como podría lograrse dicha hazaña. Todo debía diseñarse y construirse a partir de cero. Lo que más impresiona hoy en día, aparte del colosal tamaño de la plataforma de lanzamiento de varios pisos del Saturno y el gran coraje de aquéllos que viajaron en su nariz, es su anticuada apariencia de "tuercas y tornillos". Parece una máquina de la Segunda Guerra Mundial y con razón. Los ingenieros, tal y como estaban las cosas, ya corrían suficientes riesgos de modo que construyeron lo que conocían. A pesar del alarde de tecnología moderna, uno termina preguntándose si alguna vez se aunarán la voluntad, el coraje y el dinero necesarios para emprender nuevamente la tarea.

dador espacial; *L5: First City in Space* (L5: La primera ciudad espacial) es una sorprendente visión del futuro. Dedique al menos medio día para visitarla.

Al este del puerto espacial está Puerto Cañaveral, el más moderno de los terminales de los cruceros de la Florida. Si sus vacaciones combinan Orlando con un crucero, probablemente su barco zarpará desde este lugar.

Cocoa Beach, en la angosta cadena de islas hacia el sur, ya era diminuta cuando los primeros astronautas venían aquí a descansar de su entrenamiento. Ahora es un complejo turístico en expansión, un lugar preferido entre los surfistas y jóvenes que se apiñan en sus arenas cerca del viejo muelle de madera. Las dunas son un buen mirador para observar los lanzamientos espaciales.

A unos 80 km. (50 millas) al norte de Cabo Cañaveral, cerca de New Smyrna Beach, se encuentra la ensenada donde Ponce de León, considerado el descubridor de la Florida, desembarcó en 1513.

Luego viene la "Playa más famosa del mundo", como orgu-llosamente **Daytona Beach** se proclama a sí misma. Sus 37 km. (23 millas) de compactas arenas hacen las veces de calzada por un peaje de 3 dólares, aunque de vez en cuando hay un automóvil atascado atrapado por la marea. El límite de velocidad de 16 km/h (10 mph) apenas recuerda los estrepitosos años veinte y treinta cuando Sir Henry Segrave y Sir Malcolm Campbell establecieron los récords mundiales de velocidad en este lugar, culminando en 1935 con los 444 km/h (276 mph) de Campbell.

Las lisas arenas, las torres de los salvavidas y las aguas poco profundas hacen que la playa sea segura para los niños. Además, como todas las playas de la Florida, es más perfecta al amanecer, cuando los primeros entusiastas en salir a trotar apenas molestan a las numerosos pájaros marinos y aves zancudas.

El 4 de julio de cada año en el **Daytona International Speedway**, se realiza la carrera anual de las 400 millas de Daytona (645 km.), en la que participan 500 automóviles de carrera. Por lo general, el evento se programa para fines de febrero. Toda una cultura de automóviles y motocicletas ha crecido en torno al circuito, con desfiles, mercados callejeros y actividades especiales. Los motoristas y motociclistas expertos con sus chaquetas de cuero negro se pasean por las calles y rechinan las gomas en los semáforos.

Excursión tierra adentro

Un viaje a Lake George y al Ocala National Forest hacen que valga la pena viajar al oeste de Ormond Beach. Junto a la ca-rretera 40 en Juniper Springs, brota agua caliente de la tierra, formando una piscina natural. Hay otros complejos turísticos de aguas termales, entre los que se destaca Alexander Springs al sur del bosque y Silver Springs en su extremo oeste. Aquí se puede observar una colección de animales desde un bote safari, o descubrir peces y plantas acuáticas a través del piso con fondo de vidrio de un bote. En otro lugar del parque hay un establecimiento con reptiles, toboganes de agua y una colección de automóviles antiguos

La ruta 19 a través del **Ocala National Forest** es en sí misma un enorme bosque con lagos, cerros y manantiales, ofrece campings, excursiones y pesca de primera clase. Al oeste está la ciudad de Ocala y, 56 km. (35 millas) al noroeste, la ciudad universitaria de Gainesville.

Los delfines realizan espectaculares acrobacias en Marineland.

First Coast es el nombre que se da al extremo norte de la costa atlántica de la Florida, lugar donde se asentaron las primeras colonias europeas de la región. En Marineland, donde surgió la idea de los parques con fauna marina, se puede observar a los delfines y ballenas que saltan y juegan en el agua. Construido en la década de los treinta, creció hasta convertirse en un complejo

Una embarcación safari viaja por la primitiva jungla de Silver Springs.

turístico, pero hoy en día los edificios se ven antiguos y los nuevos parques lo han dejado atrás.

St. Augustine

Llegará a hacer caso omiso de las exageraciones de la Florida, pero ésta es realmente la ciudad más antigua de Estados Unidos (fundada en 1565, mucho antes del *Mayflower*). Su arquitectura e iglesias españolas y su indiscutible atmósfera colonial la hacen distinta a todas las demás ciudades de la Florida.

El más impresionante de los edificios es el **Castillo de San Marcos**, una fortaleza española en forma de estrella, cuya construcción se inició en 1672 en respuesta a los constantes ataques sorpresivos de los piratas y los ingleses (en algunos casos no existía una clara distinción entre ambas categorías). Finalizada en 1695, sus resistentes muros, de hasta 3.7 metros de grueso y firmemente arraigados al suelo, están construidos con *coquina,* una piedra formada de conchas marinas unidas naturalmente y tan efectiva a la hora de resistir los bombardeos que la fortaleza nunca cayó ante los ataques. Diariamente se presentan exposiciones y recreaciones de los acontecimientos históricos relacionados con el fuerte. (Ver página 122).

Un tren que visita los lugares de interés lo llevará a recorrer la antigua ciudad histórica; luego, puede regresar a lugares tan importantes como la bien restaurada **Oldest House** o el **Oldest Store Museum.** Este emporio de finales de siglo está abastecido con 100,000 auténticos artículos de la época, muchos de los cuales fueron encontrados accidentalmente en el ático de una bodega. Allí se puede ver zapatos viejos abotonados y corsés de encaje, juguetes, abarrotes, medicinas, gorras, bicicletas, sombreros y armas.

En 1888, cuando su ferrocarril logró extenderse hasta St. Augustine, Henry Flagler construyó el imponente Hotel Ponce de León para la nueva ola de turistas. En la actualidad, el hotel es sede del Flagler College. Si tiene la posibilidad, dé una mirada al interior de la rotonda, el antiguo vestíbulo del hotel. Nuevamente afuera, observe el temprano uso del concreto derretido, extrañamente combinado con

El Hotel Ponce de León de St. Augustine, construido en el siglo XIX por el magnate de los ferrocarriles Henry Flagler.

dicha arquitectura decorativa. Cruzando la calle se encuentra otro hotel construido por Flagler, actualmente ocupado por el **Lightner Museum**, que exhibe una colección de objetos de la época victoriana, cristal de Tiffany e instrumentos musicales del siglo XIX. Un tercer antiguo hotel, ubicado en la plaza, corresponde al impresio-nante Ayuntamiento. Durante las tardes de verano junto al anfiteatro, se representa la fundación de la ciudad en una exhibición teatral al aire libre llamada "Cross and Sword" (Cruz y Espada).

ORLANDO Y EL CENTRO DE LA FLORIDA

Orlando, actualmente la ciudad más grande del centro de la Florida, se incorporó al negocio del turismo en gran escala cuando Walt Disney se instaló en el camino. La enorme cantidad de habitaciones hoteleras en el área, significa que en la actualidad Orlando puede recibir y dar alojamiento a los participantes de las más grandes convenciones y eventos deportivos; el centro de la Florida ofrece el mayor grupo del mundo de diversiones construidas especialmente con ese fin.

Muchos visitantes del sector se alojan en Walt Disney o en sus alrededores o en International Drive, pero nunca se aventuran al centro de Orlando, lo que es lamentable. Resulta difícil decir qué se ha restaurado y qué es nuevo en **Church Street Station**, un centro comercial para divertirse, comer y divertirse. Todo está abierto durante el día, pero después de las 5:30 p.m. tiene que pagar para entrar. Debe haber una decena de espectáculos para elegir, desde grupos de jazz, a bailarinas de cancán y hasta elegantes obras folclóricas y del oeste al otro lado de la calle en el Cheyenne Saloon (los juegos de azar son sólo "simulados"). Los artistas callejeros, pubs y restaurantes se suman a las diversiones del centro de la ciudad.

International Drive, a 19 km. (12 millas) de distancia y nuevamente lejos de Disney World, ha crecido de la nada en sólo un par de años. Toda una creación del auge turístico; es una hilera de deslumbrantes hoteles, negocios de comida rápida, bares y buffets de consumo ilimitado.

En los años anteriores a Disney, **Kissimmee** era una ciudad adormecida donde los ganaderos locales tal vez pasaban una vez a la semana. Hoy en día, resulta difícil encontrar el antiguo centro, en medio de miles y miles de hoteles, "distribuidores de fábrica" de camisetas y de pubs "británicos". Si insiste, lo encontrará a lo largo de Main Street y Broadway, donde nada ha cambiado mucho. La ciudad aún conserva una feria ganadera, así como un rodeo que se realiza dos veces al año.

El **Flying Tigers Warbirds Air Museum**, ubicado en el aeropuerto local, tiene una colección de singulares aviones antiguos, los que se encuentran en varias etapas de restauración. Se puede volar en un biplano de cabina abierta o en dirigible que verá volar en lo alto cuando esté en los parques temáticos

☛ Walt Disney World

Decenas de millones de personas visitan cada año Walt Disney World, la atracción turística más popular del mundo está a 32 km. (20 millas) al sudoeste de Orlando, en la Interestatal 4 y la U.S.192. No es sólo un parque temático, sino tres, además de un inmenso complejo turístico con decenas de hoteles, un sitio para acampar, cinco canchas de golf, parques acuáticos, canchas de tenis, cabañas de veraneo y tiendas. Las estadísticas indican que el 80 por ciento de todos los visitantes son adultos, si bien para los propósitos de ventas de entradas a

El sabor del Indómito Oeste en el Cheyenne Saloon de Orlando.

Disney, se considera adulto a las personas de diez años. Disney World se ha convertido incluso en el destino favorito de Estados Unidos para pasar la luna de miel. En conjunto, el lugar comprende unas 11,000 hectáreas, aproximadamente dos veces el área de la Isla de Manhattan.

Los visitantes de Disney World generalmente dividen su tiempo entre el **Magic Kingdom** (Reino Mágico), los **Disney-MGM Studios** (Estudios Disney-MGM) y el cercano **EPCOT Center**. Sin embargo, en 1998 se inaugurará otra atracción turística, el Reino Animal de Disney. Apenas es suficiente un día para visitar cada uno de estos lugares y si se queda por más tiempo, aún hay más lugares muy interesantes que visitar en el área de Disney, como Blizzard Beach, Typhoon Lagoon y River Country (parques acuáticos de diversión) y Pleasure Island (bares, clubes nocturnos y espectáculos en vivo). Para entusiasmarlo, hay económicos pases para cuatro y cinco días así como entradas por un día, para visitar un parque. (Ver página 108 para tener una idea de los precios. Pueden parecer caros, pero, una vez adentro, todos los paseos y atracciones son gratis). Hay varias empresas de turismo que ofrecen excur-

Los cuentos de hada cobran vida en el Castillo Mágico.

siones, los agentes de viaje pueden darle detalles de lo que hay.

El Reino Mágico

Desde el Ticket and Transportation Center, tome el elegante monorriel o un transbordador a través del lago. (Los autobuses exclusivos para los huéspedes de los hoteles de Disney lo conducen directamente a la entrada). El Reino Mágico se divide en siete diferentes "territorios" ("lands"). Recórralos uno por uno, pero no demasiado lento, hay demasiado que ver y hacer.

Main Street USA. Justo más allá de la entrada, se pasa bajo Main Street Railroad Station hacia Town Square (Plaza de la Ciudad). En el **City Hall**, a su izquierda, se puede obtener toda la información acerca de cualquier aspecto de Disney World. La plaza siempre está llena de vida y a veces se reúne una multitud en torno a uno de los personajes de Disney (todos firman autógrafos, pero ninguno habla).

Frente a usted, a lo largo de Main Street se alinean construcciones en el estilo de comienzos del siglo XX. Pronto verá un antiguo autobús de dos pisos o un coche tirado por caballos. Querrá detenerse en las tiendas, pero trate de estar en el otro extremo alrededor de las 9:00 a.m., cuando abren los otros parques.

Al final de la calle, cruzando un puente y tras una **Plaza** circular se levanta el **Castillo de la Cenicienta,** el famoso símbolo del Reino Mágico. Hay rutas radiales que llevan a todas las tierras. Nuestra descripción avanza hacia la derecha, pero no siga ningún plan muy estricto. Elija lo que le resulte atractivo.

Adventureland (Tierra de la aventura). Primero descubrirá

Información de utilidad para recorrer Disney World

1. Escoja sus parques. Si es su primera visita y cuenta con tres días o más, deje el Reino Mágico para el segundo o tercer día. Si sólo cuenta con un día, elija el Reino Mágico, que es la esencia de la fantasía de Disney.

2. **Llegue temprano** para que le rinda su dinero y evitar la aglomeración de gente en los paseos más populares. La hora oficial de apertura es a las 9 a.m., pero Main Street USA abre a las 8 a.m. y EPCOT y los Estudios Disney-MGM abren sus puertas cerca de las 8:30 a.m.

3. Anote el lugar donde dejó su vehículo en los enormes parques de estacionamiento.

4. Lleve consigo una **guía y mapa gratuitos** y un programa de diversiones, y planifique una ruta.

5. Los paseos duran 5 a 15 minutos aproximadamente. El acceso está inteligentemente controlado y se puede acomodar una gran cantidad de personas; 3,000 personas por hora o más en algunos. El tiempo de espera es anunciado por medio de letreros o por los anfitriones. Puede evitarse algunas filas si se sube primero a los paseos que se encuentran más alejados de la entrada y después retrocede.

el enorme árbol que sostiene la **Casa en el árbol de la familia suiza.** A pesar de que pareciera estar hecha completamente de madera, en realidad está hecha de concreto y vinilo. Poco más adelante, puede embarcarse en los botes del **Crucero de la Selva** o unirse a los **Piratas del Caribe** para realizar un viaje hacia sus tesoros escondidos.

Frontierland (el Lejano Oeste) recuerda al Viejo Oeste de Estados Unidos, a la vez real y legendario. Diríjase a la antigua Shootin' Gallery y haga un viaje en montaña rusa por los días de la fiebre del oro en el **Big Thunder Mountain Railroad**, embárquese en un elegante navío de tres pisos o viaje en balsa hacia la Isla de Tom Sawyer. El **Diamond Horseshoe Jamboree** es un espectáculo en vivo al estilo del Indómito Oeste. (Reserve sus asientos en Disneyana Collectibles en la Plaza de la Ciudad). El más moderno y popular de los juegos de este lugar es **Splash Mountain**. Su bote parecerá estar suspendido indefinidamente en el espacio antes de caer a una piscina desde una altura de cinco pisos.

Liberty Square. A unos pocos pasos de distancia, la arquitectura cambia del Viejo Oeste a Nueva Inglaterra. El **Salón de los Presidentes** es una de las principales atracciones, tiene un sistema *Audioanimatrónico* que da vida a los presidentes de Estados Unidos. Aún cuando sepa que los actores son réplicas mecánicas, se emocionará al sentir que está escuchando a Washington y Lincoln. La **Mansión Embrujada**, a poca distancia, es más divertida que aterradora, aún cuando uno de sus 999 fantasmas se siente junto a usted.

Fantasyland (Tierra de la fantasía). El Reino Mágico es todo fantasía, pero aquí se presenta en su forma más pura. El **Mad Tea Party** es un buen lugar para comenzar, con sus vertiginosos giros en una gigantesca taza de té. **It's a Small World** hace a todos sonreír a medida de que pasan junto a muñecos que cantan y bailan. Los pequeños adoran a **Dumbo el elefante volador** y el **Carrusel dorado de la Cenicienta**, un carrusel clásico.

Desde la Tierra de la Fantasía se puede tomar el **Skyway** hacia la Tierra del Mañana o recorrer el Castillo de la Cenicienta para observar los hermosos mosaicos inspirados en las esce-

Experimente la tecnología de la nueva era y la diversidad cultural en Epcot Center.

nas de la película de Disney *Cenicienta.*

Mickey's Toontown Fair. El más nuevo de los reinos, se encuentra escondido de manera que fácilmente podría perdérselo. La Casa de Mickey se erigió como un museo de recuerdos, pero es en **Toontown County Fair** donde usted conocerá personalmente al Ratón, el que gustoso le firmará un autógrafo y posará para las fotos.

Tomorrowland (la Tierra del Mañana) está dominada por un blanco cono de acero, la famosa **Space Mountain.** En su interior hay una emocionante montaña rusa que lo llevará en un viaje a través de la profunda oscuridad. Asegúrese de obedecer las señales de advertencia y no intente subirse a la montaña si tiene problemas en el cuello, espalda, corazón o estómago. Una alternativa menos agotadora para sus nervios es el **WED-Way PeopleMover**, donde los pequeños automóviles flotan sobre un cojín electromagnético. Dos nuevas y populares atracciones son **The Timekeeper**, una extraordinaria simulación de un viaje a través del tiempo narrado por el actor Robin Williams, y **Alien Encounter**, donde se muestra un grupo de extraterrestres.

Dreamflight recorre la historia de la aviación y en la **Grand Prix Cars Raceway** se puede controlar la velocidad, pero hay rieles guía que impiden que la carrera se transforme en un caos.

Antes de dejar el Reino Mágico, haga un viaje alrededor de sus fronteras en el **Walt Disney World Railroad.** Las cuatro locomotoras ligeras de vapor que transportan los vagones descubiertos de pasajeros son verdaderamente auténticas. Construidas en Philadelphia entre 1916 y 1928, fueron descubiertas, aún funcionando, en la península mexicana de Yucatán, en la década de los sesenta.

Centro EPCOT

Inaugurado en 1982, tras veinte años de planificación, la "Experimental Prototype Community of Tomorrow" ("Comunidad experimental prototipo del mañana") de Walt Disney World es un parque lleno de atracciones destinadas a instruir y divertir con todo tipo de efectos especiales e instrumentos computarizados.

El parque cuenta con dos singulares áreas temáticas, las que en conjunto forman un ocho. En la primera está el **Future World** (Mundo del futuro), los pabellones están auspiciados por algunas de las empresas más grandes de Estados Unidos, como General Motors, Exxon y Kodak. La segunda, el **World Showcase** (Escaparate del mundo), destaca las culturas y productos de once naciones diferentes. A EPCOT se llega en automóvil y en minibús y desde el Reino Mágico en monorriel. La nueva atracción de moda en EPCOT, el **Test Track,** es también su juego más emocionante. En esta simulación un vehículo hace una prueba de terreno, seis personas manejan un automóvil de prueba a alta velocidad en la subida de un cerro y por curvas con peralte.

Future World

La fantástica esfera blanca cerca de la entrada principal es la **Nave Espacial Tierra**, el símbolo de EPCOT. En su interior hay un espectacular juego mecánico que se eleva en espiral pasando por escenas que muestran el desarrollo de las comunicaciones. Cerca de su base se encuentra la **Estación Tierra** que es un centro de información.

Siguiendo recto, se levantan los edificios gemelos de **Innovations, East and West**, donde se puede probar artefactos de alta tecnología tales como un teléfono de pulsera, la realidad virtual y lo más reciente en cuanto a juegos de video. Agrupados alrededor del Communicore se encuentran las principales atracciones del Mundo del Futuro. Tomamos hacia la derecha, pero tendrá que ser flexible dependiendo del largo de las filas.

El espectáculo del **Universo de la Energía** se presenta en un teatro que se desplaza; de hecho los asientos se mueven, en parte gracias a la energía de las celdas solares instaladas sobre el techo del edificio. Una película espectacular acerca de los recursos energéticos sigue con viaje a través de escenas que cuentan la historia de la formación de los combustibles fósiles, todo acompañado de dinosaurios audioanimatrónicos y una niebla primitiva.

Wonders of Life (las maravillas de la vida) incluye el jocoso Cranium Command, que lo lleva al interior de la cabeza de un niño que enfrenta las crisis de un día de clases. *The Making of Me* es una película divertida pero seria, ilustra la reproducción y el nacimiento del ser humano. Siempre hay demanda por Body Wars, un emocionante viaje en un simulador de vuelo donde usted es "encogido" y enviado velozmente a través de las arterias, venas, corazón y pulmones.

En el **Center Court** puede analizar su golpe de golf o calcular su consumo de calorías luego de un breve ejercicio físico. **Destinations** incluye una granja con robots que cosechan los cultivos y donde hay colonias bajo el mar y en el espacio.

El **GM World of Motion**, en un adecuado edificio con forma de rueda, lo lleva en un viaje a través de la historia del transporte desde los habitantes de las cavernas, pasando por antiguos carruajes y automóviles, hasta llegar a la ciudad del mañana.

Journey to Imagination (Viaje a la imaginación) hace un singular viaje a través del proceso creativo en compañía de dos personajes, llamados Dreamfinder y Figment. En el mismo pabellón encontramos *Honey, I Shrunk the Kids* (Querida, encogí a los niños) una alocada aventura en tres dimensiones que de manera convincente logra simular la experiencia microscópica.

The Land (La Tierra) se concentra en los alimentos y en otras cosechas útiles. En *Listen to the Land* se viaja en bote pasando por piscifactorías experimentales y a través de invernaderos donde las plantas crecen en la arena o suspendidas en el aire. Si está especialmente interesado, inscríbase en una gira de 45 minutos a pie por el lugar.

The Living Seas muestra un viaje submarino hacia el arrecife artificial de coral más grande del mundo, el que cuenta con las más diversas especies marinas desde delfines hasta barracudas. En el restaurante Coral Reef, puede cenar junto a estas maravillas submarinas.

World Showcase

Dispuestas alrededor del perímetro de una laguna se encuentran las réplicas de algunos de los monumentos más grandiosos del mundo. Un modelo a escala de la Torre Eiffel se alza sobre el paisaje de la Florida; una versión diminuta del *Campanile* de Venecia se levanta junto a una pirámide maya de México, y así sucesivamente. Once naciones se encuentran representadas, cada una de ellas con restaurantes que destacan su cocina nacional.

La pirámide de **México** tiene invalorables tesoros precolombinos y lo invita a dar un paseo en bote a través de la historia mexicana.

Noruega le ofrece un viaje en bote en tempestuoso *Maelstrom*. El restaurante Akershus ofrece un típico buffet noruego.

El circular Templo del Cielo de **China** es perfecto para la película *Wonders of China* (Maravillas de China).

Alemania se concentra en su tradicional comida y cerveza; además hay tiendas que venden hermosos objetos de cristal, plata y porcelana, chocolates y vinos.

Italia también destaca sus comidas y vinos, en una sucursal de L'Originale Alfredo di Roma. Actores callejeros actúan para las multitudes en la "Plaza de San Marcos".

Estados Unidos ocupan el escenario central. *The American Adventure* (La aventura norteamericana) lo lleva a recorrer durante media hora la historia de Estados Unidos a través de la pantalla y con el acompañamiento de efectos especiales, incluidas algunas de las figuras audioanimatrónicas más reales hasta ahora creadas por Disney,.

Japón muestra un rostro formal, con apacibles jardines y templos. Hay cuatro restaurantes que sirven platos japoneses, además de una sucursal de una famosa tienda de departamentos de Tokio.

Los auténticos edificios de **Marruecos** constituyen una de las principales atracciones del World Showcase. Éstos albergan un colorido bazar y el Restaurant Marrakech, donde hay una bailarina que entretiene a los comensales.

Francia concentra su gastronomía en tres restaurantes franceses, cada uno atendido por personal exclusivamente francés. No deje de ver la película en pantalla gigante *Impre-ssions de France* (Impresiones de Francia).

El **Reino Unido** cultiva una imagen de "mundo antiguo"

con edificios de estilo Tudor y el Pub y Restaurante Rose and Crown.

Canadá exhibe una película Circle Vision 360, en las tiendas se ofrece artesanía *inuit* (esquimal) e indígena.

Estudios Disney-MGM

En 1989, celebrando la pasión de Estados Unidos por el cine, a unos dos kilómetros al sur de EPCOT se inauguró el más nuevo de los parques temáticos de Disney World. Aquí realmente se hacen películas y programas de televisión, pero por sobre todo se pasa bien. Las calles están llenas de todo tipo de acontecimientos y sorpresas, de manera que aquí sólo le mencionamos algunas de las atracciones principales.

Ya adentro, deje los locales para más tarde y camine por **Hollywood Boulevard** hacia el gran espacio abierto de Sunset Plaza. A la derecha verá un gran tablero donde se anota toda la última información relacionada con los espectáculos y tiempos de espera. Cerca de ahí está el **Theater of the Stars**, al aire libre que presenta un musical en vivo basado en el éxito de Disney, *La Bella y la Bestia.*

Confirme los espectáculos diarios en los Estudios Disney-MGM.

Muchos de los que llegan apenas se abren las puertas, corren a un juego o espectáculo, donde más tarde se formarán largas filas. **The Twilight Zone Tower of Terror** es el lugar preciso para aquellos que disfrutan de las caídas desde una altura de 13 pisos en medio de una densa oscuridad. **Star Tours** es una experiencia emocionante en un simulador creado por George Lucas. Siguiendo la tradición de *La Guerra en las Galaxias*, la acción ocurre en un viaje

Enfrentándose a las mandíbulas de la muerte en los Estudios Universal.

imaginario pero demasiado convincente a Endor, en el cual lo lanzan al espacio, mientras una película sincronizada de 70 mm., muestra la atemorizante visión desde la nave espacial totalmente fuera de control. Los "conocedores" luego van derecho al **Indiana Jones Stunt Spectacular**. El nombre lo dice todo.

En **The Great Movie Ride**, su asiento lo lleva a través de las escenas de *Casablanca, El Mago de Oz, Alien* y varias otras películas destacadas. Actualmente, Disney-MGM es el hogar oficial de **Los Muppets**, una de las inspiradas creaciones del difunto Jim Henson, además puede verlos "en escena" en la calle o en una notable película en 3-D. **El Viaje de La Sirenita** es un espectáculo multimedia basado en la película de Disney, ¡prepárese para zambullirse!

No debiera perderse los **Backstage Tours**. **Studio Tour** lo lleva en un paseo en minibús por los departamentos de vestuario, construcción de escenografías y de utilería. A continuación, es en **Catastrophe Canyon** donde "por error" se verá involucrado en una película de desastres con terremotos, explosiones, incendios y una repentina inundación. Cuando se haya recuperado, puede continuar al **Special Effects and Production Tour** (Gira de efectos especiales y producción). Antes de las 5:00 p.m. aproximadamente, cuando los artistas hayan concluido el trabajo del día, vaya al The Magic of Disney Animation y tome una gira a pie que le dará la oportunidad de ver el complicado proceso de cómo se realizan las películas animadas.

Pleasure Island

Conscientes de que en las tardes estaban perdiendo visitantes en
favor de las diversiones del centro de Orlando y otros lugares, la
organización Disney decidió crear su propia vida nocturna. El resultado es un complejo de bares y salas de baile, un Comedy
Warehouse, clubes y bandas en vivo en un escenario al aire libre.
La ambientación son las abandonadas y antiguas bodegas destar-
taladas de algún puerto en decadencia, todas construidas especialmente en 1989. En las tardes se cobra entrada, pero durante
el día la entrada es gratuita.

Más espectáculos en Walt Disney World

Typhoon Lagoon es un parque acuático gigante con playas, toboganes de agua y riachuelos donde puede moverse empujado
por la corriente sentado en un aro de goma. Aunque, por lo que
más se destaca es por una inmensa laguna en la que hay una
máquina que fabrica las olas más grande del mundo, genera olas
gigantescas de hasta 1.8 metros de alto para practicar surfing.

River Country es más antiguo y tiene más toboganes, consiste
en una playa en la ribera de un lago, aguas rápidas, además de cuer-
das y puentes para balancearse y caer en el "old swimming hole."

Cruzando el agua desde aquí, se encuentra **Discovery
Island**, un santuario de la naturaleza con paseos marítimos en-
tarimados que serpentean en medio de las plantas y aves exóticas. Aquí ha habido algunos logros en la reproducción de especies en peligro de extinción.

Blizzard Beach el más nuevo de los tres parques acuáticos de
Disney, está ubicado en un complejo turístico abandonado de ski
y cuenta con el tobogán de caída libre más alto del mundo.

Para mayor información sobre los eventos de Disney, alojamiento, precios y paquetes turísticos, comuníquese con Walt
Disney World, Box 10,000, Lake Buena Vista, FL 32830. Tel
(407) 824-4321.

Otros parques temáticos del centro de la Florida

Estudios Universal

Más de 160 hectáreas de escenarios realistas, la zona costera de
San Francisco, las calles de Nueva York, Hollywood y ver-

daderos equipos de producción, lo convierten en las mayores instalaciones en su tipo del este de California. Trate de llegar temprano, tome un mapa en la puerta y planifique un recorrido.

Cuando abrió sus puertas en 1990, las comparaciones con los Estudios Disney-MGM fueron inevitables. Universal trata de ser menos fantasioso, quizás más orientado a los adolescentes y cinéfilos que a los niños pequeños, si bien ellos nunca se cansan del Oso Yogi y Pedro Picapiedra en **El Fantástico Mundo de Hanna-Barbera.** Debido a que aquí el área es mucho más grande que en Disney, las calles están menos atestadas y por momentos puede parecer que hay menos actividad. Sin embargo Universal Studios cuenta con cuatro de los espectáculos más emocionantes que haya en cualquier lugar. El más nuevo es **Terminator 2 3-D**, donde se encontrará junto a Arnold Schwarzenegger, esquivando los rayos láser en una batalla cibernética. En **Kongfrontación**, el poderoso King Kong de cinco pisos de altura, ha escapado y está arrasando Nueva York. Usted está conduciendo un teleférico sobre una

Los flamencos son una de las especies nativas de la Florida.

calle de la ciudad, cuando Kong ataca.

Terremoto lo traslada a un tren subterráneo de San Francisco, está parado tranquilamente en una estación cuando se desata el infierno; de hecho los efectos han alcanzado los 8.3 en la escala de Richter. El techo cae, un camión viene derecho hacia usted, el agua lo inunda todo. Es un alivio cuando finalmente el director grita "¡Corten!"

La realidad virtual da un gran salto adelante en **Regreso al Futuro**, un viaje que se basa vagamente en las películas que llevan ese nombre. Se encuentra en una persecución por el espacio mientras un avanzado simulador de vuelo lo convence de que está descendiendo en picada fuera de control, respaldado por la evidencia de sorprendentes imágenes en la gigantesca pantalla panorámica.

Un espectáculo de proezas del Indómito Oeste, aventuras basadas en *ET* y *Los cazafantasmas*, los secretos de Alfred Hitchcock, lecciones para lograr horribles maquillajes y un "tram tour" por las bambalinas proporcionan más que suficiente para ocupar el día.

Sea World

Cerca de la International Drive, se encuentra el líder de los parques marinos de la Florida. A la entrada, le entregarán un mapa y un programa actualizado de eventos, especialmente impreso cuando ingresa, de modo que pueda planificar su visita. Verifique los horarios de los espectáculos: las atracciones principales incluyen una presentación de delfines y lobos marinos; Shamu, la orca amistosa, que lanza al entrenador fuera del agua como si fuera un cohete Polaris; osos polares que retozan en un helado patio ártico, además de demostraciones de esquí acuático. En los intermedios, visite las focas o los pingüinos en su gran tanque de vidrio, refrigerado para mantenerlo tan frío como lo prefieran.

En una destacada presentación, "Terrors of the Deep," se camina por un túnel transparente a través de un tanque lleno de tiburones. Sea World asegura tener "más de todo," incluyendo bailarines polinesios, acróbatas chinos y varios restaurantes. El paseo hasta la cima de la Sky Tower de 120 metros cuesta un poco más, pero vale la pena por la vista.

Un paseo en bote es una manera de sumergirse en las maravillosas vistas de Cypress Gardens.

Wet "n" Wild

Este conjunto de lagos y piscinas, al costado de la International Drive (está cerrado en invierno y cuando hay mal tiempo), está equipado con toboganes de agua, rápidos, una máquina que fabrica olas y otras instalaciones deportivas donde puede refrescarse en un día de calor infernal.

Cypress Gardens

Al sur de Orlando, cerca de Winter Haven se encuentra este parque ubicado en la ribera de un lago que en la década de los 30 comenzó como un jardín botánico. Hoy es más famoso por las espectaculares exhibiciones diarias en el lago en que esquiadores acuáticos realizan acrobacias formando pirámides humanas. En la costa, Southern Crossroads es una réplica de una antigua ciudad sureña (hacia el 1900) con tiendas y restaurantes. Puede conducir un bote eléctrico o dar un paseo por los extraordinarios jardines, que albergan 8,000 especies de plantas. Cada cierto rato, Kodak Island in the Sky de 46 metros de altura, sube y baja a sus pasajeros para presenciar una vista panorámica de los alrededores.

Cerca de ahí **Lake Wales** ofrece una sede invernal al North Dakota Black Hills Passion Play. Todos los años entre febrero y abril, el inmenso reparto presenta los últimos siete días de la vida de Cristo en un anfiteatro ubicado a unos cuatro kilómetros de la ciudad. El **Bok Singing Tower** es un elegante campanario que amalgama el gótico con el Art Nouveau, está ubicado en los tranquilos jardines del cerro más alto de Central la Florida. Todos los días a las 3:00 p.m., el músico residente interpreta un recital en el carillón de 57 campanas. Si se lo pierde, cada 30 minutos hay un corto pasaje grabado.

LOS EVERGLADES

Llamado por los indígenas "el río de hierbas", esta planicie acuosa es el pantano más famoso del mundo. Sin ser completamente plano, sus aguas corren en forma casi imperceptible hacia el sur y el oeste, desde el Lago Okeechobee hasta la Bahía de la Florida.

El **Parque Nacional Everglades**, de 560,000 hectáreas, es un área protegida de terrenos pantanosos e irregular línea costera. La época ideal para visitarlo es en invierno que es la estación seca. Es cuando verá más aves y menos mosquitos. Cuando quiera que lo visite, recuerde que este frágil ecosis-

LOS EVERGLADES Y
LOS CAYOS DE LA FLORIDA

tema está siendo apasionadamente defendido por los ambientalistas de todo el mundo contra el invasor desarrollo urbano. Para mapas y literatura, escriba a Everglades National Park, 40001 State Road 9336, Homestead, FL 33034-6733.

Desde Miami diríjase al sur hacia Homestead, luego tome la carretera estatal 27 y fíjese en los letreros que llevan al parque. Pronto llegará a la estación de entrada del parque, donde puede conseguir un excelente mapa gratuito. El camino del parque serpentea por 61 km. (38 millas) hacia la costa. Hay varias salidas marcadas a lo largo del camino que lo conducen a lu-

gares para acampar y zonas de picnic junto a los lagos o cerca de los "hammocks", zonas altas, generalmente en áreas con muchos árboles.

En los Everglades de la Florida abundan los cocodrilos.

La primera salida lleva al **Royal Palm Visitor Center**, en las afueras de un cenagal de agua dulce. Mire las claras aguas de la laguna y podrá ver cardúmenes de peces, como el *garfish* de la Florida, uno de los principales alimentos del cocodrilo. Hay breves espectáculos de diapositivas sobre los Everglades y los guardaparques del lugar le sugerirán donde ir. El Anhinga Trail circunda el pantano. Busque cocodrilos, garcetas, garzas y las *anhinga* o pájaro-serpiente, que nada bajo el agua con su prominente cuello fuera como serpiente y luego se sienta en un arbusto levantando sus alas para secarlas. Otra ruta circular de aproximadamente un kilómetro es el Gumbo Limbo Trail. Fíjese en los mapaches, zarigüeyas, caracoles de árbol y lagartos.

Volviendo al camino, pasará por varios otros senderos y puntos de interés, todos señalados en el mapa del parque y que están antes de llegar a **Flamingo**, un pueblo de pescadores ubicado en una bahía poco profunda, con una pintoresca historia de producción ilícita de licores ("moonshine"). Ahora la vida gira en torno a una estación de guardaparques, una hostería, un lugar para acampar, restaurante y tienda de abarrotes. En Flamingo Marina puede comprar carnada y arrendar equipo de pesca, botes y canoas.

Los botes de excursión hacen viajes desde Flamingo y los remeros siguen su propio camino hasta Everglades City, a través de una sucesión de lagos y ríos llamada "The Wilderness Waterway." Fíjese en las grandes garzas blancas, garcetas como la nieve, espátulas rosadas, águilas pescadoras y águilas calvas del sur. Lleve mucho repelente para insectos, especialmente en verano. Se prohibe la caza y las armas de fuego, pero se permite pescar.

Hay otra entrada al parque cerca del Tamiami Trail (U.S. 41), que cruza el estado desde Miami hasta Naples. Las señalizaciones que hay a todo lo largo de la ruta anuncian los **paseos en aerobotes** sin embargo el centro es Coopertown. Son botes de fondo plano impulsados por hélices de aeroplano que le permiten deslizarse sobre terrenos pantanosos y pasar como un bólido entre los pastizales. (En el Parque Nacional se prohíben los aerobotes).

Artesanía indígena tradicional en la aldea Miccosukee en el Parque Nacional Everglades.

En el **pueblo indígena de Miccosukee** puede ver demostraciones de artesanías y luchas con cocodrilos más bien aburridas. Los Miccosukee han vivido aquí aislados desde la época de la guerra de los seminoles, pero quedaban menos de 100 cuando en 1962 el gobierno de EE.UU. reconoció a la tribu. Actualmente hay más de 500. Más allá del pueblo, la ruta Tamiami pasa a lo largo del perímetro sur de la reserva nacional Big Cypress.

Everglades City es la puerta oeste del parque nacional Everglades, donde se ubica otra estación de guardaparques, desde donde sin prisas se puede tomar cruceros para observar la vida silvestre de las "10,000 islas". Esta sigue siendo una de las áreas más grandes del mundo donde todavía quedan manglares, aunque en seria disminución. Conservar lo que queda no es sólo por la conservación misma: este medio ambiente es esencial como lugar de cría de especies de peces comercialmente importantes.

LOS CAYOS DE LA FLORIDA

Girando hacia el oeste desde el sur de Miami, se extiende una sucesión de islas llamadas los Cayos (Keys), de 190 km. de largo, unidas entre sí por 43 puentes y el viaducto transatlántico más largo del mundo. Construido en un principio como la última etapa del Ferrocarril de la costa este de Flagler, la **Overseas Highway** se eleva y salta hacia el antiguo pueblo naval de Key West.

Hacia el sur desde Homestead siga por la carretera 1 o tome Card Sound Road que es más tranquila, por 50 km. de terreno plano y pantanoso donde garzas y cigüeñas han construido sus grandes y desordenados nidos de ramas en los postes telefónicos. Pronto estará en **Key Largo**, la más grande de las islas. El límite sur es una hilera del más feo tipo de complejo comercial, pero es la base de los viajes al **parque estatal John Pennekamp**, son 43 km. (27 millas) de arrecifes de coral, peces tropicales, esponjas y naufragios. Hay muchísimas tiendas pequeñas que arriendan equipos de buceo, cámaras fotográficas y botes. Para hacer submarinismo necesita haber recibido entrenamiento; hay escuelas donde puede inscribirse y tomar lecciones. Para aquellos que prefieren mantenerse secos mientras admiran los peces hay botes con fondo de vidrio que hacen viajes regulares a lo largo del arrecife. (Si hay mal tiempo y usted es susceptible, tome una pastilla contra el mareo).

El pequeño bote a vapor *African Queen* (la Reina Africana) se encuentra amarrado en Mile Marker 100 (las ubicaciones en los cayos, se expresan en distancias desde Key West), fue construido en 1912 en Inglaterra y fue usado en Lake Albert al este de África. Apareció en 1951 en la película protagonizada por Humphrey Bogart y Katherine Hepburn. Aunque estrictamente hablando no tenía nada que hacer ahí, Bogart ni siquiera rodó *Key Largo* en Cayo Largo.

Más al sur de los cayos, en el grupo de islas llamadas **Islamorada,** encontrará muchísimas oportunidades para practicar buceo y esnórquel, además de pescar algunas de las aproximadas 600 especies de peces. En uno de los espectáculos marinos más antiguos de la Florida, **Theater of the Sea**, los alegres y jóvenes entrenadores llevan a los visitantes de una piscina a otra, mostrándoles delfines, rayas, tiburones y leones marinos.

Construcción de puentes

En muchos lugares a lo largo del camino verá los antiguos viaductos ferroviarios de Flagler convertidos en calzada, después de que en 1935 un huracán destruyera varias secciones. Algunas secciones de puente abandonadas conforman fantásticos muelles para pescar, si puede soportar la competencia de los pelícanos en la bahía. El **Long Key Viaduct** de 3 km. (2 millas) de largo, es uno de los logros más sorprendentes de los constructores ferroviarios y el mismo Long Key cuenta con parque estatal y lugar para acampar.

Marathon, pueblo principal de Middle Keys, es un centro turístico, además de centro de pesca y buceo. En el museo encuentra información respecto a la geología de los cayos y sus primeros habitantes. Después de Marathon, los ingenieros de Flagler lograron su mayor desafío: 11 km. (7 millas) de mar sobre los cuales construir un puente hacia Lower Keys. El **Seven-Mile Bridge** sigue en pie, un monumento a los cientos de trabajadores que murieron entre 1905

No tocar

Un arrecife de coral está vivo y creciendo; es la creación de billones de pequeños pólipos. Pariente de las medusas y las anémonas de mar, estos pequeños animales viven en conchas de piedra caliza en forma de copa que construyen ellos mismos. Los asombrosos colores del coral provienen de algas que viven dentro del tejido del coral. Cada nueva generación construye en los esqueletos de la última, pero la capa viviente más externa es delgada y muy frágil. El ancla de un bote puede dejar una mortal cicatriz blanca. Incluso el contacto de la mano o pie de un buzo puede provocar descomposición. En aguas menos profundas, los corales se asemejan a rocas y delicados abanicos. Más afuera, donde deben sobreponerse al maltrato de las olas, vienen las ramificaciones semejantes a astas de alce. Incluso desde un bote con fondo de vidrio, verá a gran cantidad de peces disfrutando de la protección del arrecife. Probablemente sus brillantes colores tienen relación con la necesidad de distinguir en la multitud a los enemigos de los posibles compañeros.

y 1912, tiempo que tomó construir el Overseas Railroad. Hoy es obsoleto y ha sido reemplazado por un nuevo puente vial con parapetos, que por desgracia tapan la vista. Deténgase a ambos extremos para apreciar los puentes que se extienden sobre las aguas color turquesa en la brumosa distancia.

Bahía Honda, un área estatal de recreación y reserva de la naturaleza, tiene una playa de arenas tropicales, algo muy raro en los cayos. Le llamará la atención el puente de dos pisos: el camino solía pasar por la parte superior.

Por último, la carretera 1, que recorre toda la costa este por una extensión de 3,200 km. (2,000 millas), no puede ir más lejos; ha llegado al remoto pueblo de Key West (Cayo Hueso), que se ha convertido en un lugar tan de moda como Carmel en California o Provincetown en Cape Cod.

Key West

La palabra "key" viene del español cayo, que significa isla pequeña. Es posible que Key West haya sido llamado *Cayo Oeste* por Ponce de León. Sin embargo, durante muchos años recibió el nombre de Bone Island (Cayo Hueso), quizás debido a que las batallas indígenas del siglo XVIII dejaron la isla llena de ellos. Los primeros habitantes fueron piratas y aventureros, hasta que en 1822 la Armada de EE.UU. tomó posesión. A pesar de su violento pasado, Key West es uno de los pueblos más amistosos de la Florida.

A cuatro horas en automóvil desde Miami, la pequeña isla subtropical realmente está más cerca de La Habana. Su población está compuesta por personal militar en retiro, exiliados cubanos, aficionados a los alimentos naturales, alérgicos al polen para quienes el aire de aquí es de gran ayuda, descendientes blancos y negros de los "conchs" originales que llegaron desde Bahamas, escritores, pintores y una gran comunidad homosexual. Actualmente todos dicen ser conchs (se pronuncia "konks'), como los grandes moluscos de color rosado que se aferran a las rocas submarinas.

Se llega a la isla a través del nuevo barrio comercial. Siga el camino hacia el pueblo antiguo, pasando por un grupo de extraños hoteles y moteles, a menudo con piscinas climatizadas bajo palmeras tropicales. (En temporada alta, le parecerá que el alojamiento en Key West es uno de los más caros de EE.UU.). En **Duval Street**, bordeada por tiendas de venta de objetos de arte y artesanía, recuerdos, camisetas y chucherías, **Sloppy Joe's** es uno de los más bulliciosos de una serie de bares. (El lugar que tenía ese nombre, el antiguo lugar que frecuentaba Ernest Hemingway, está a la vuelta de la esquina en Greene Street).

Duval Street termina en **Old Mallory Square**, donde todas las noches se presentan espectáculos gratuitos. Hacia el atardecer se reúne gran cantidad de gente en este muelle de piedra para disfru-

Key West, al final del arco iris.

tar de músicos, malabaristas, tragafuegos y excéntricos.

Cerca de Mallory Square se encuentra el terminal del Conch Tour Train, una réplica de un motor de ferrocarril que arrastra vagones con ruedas de goma en un paseo de 23 km. (14 millas) por lugares de interés de la isla. Su competencia es la compañía Old Town Trolley, además los *rickshaws* (carritos tirados por jóvenes) llevan a los visitantes en paseos más cortos.

La **casa de Ernest Hemingway** (907 Whitehead Street), ubicada en un jardín tropical, perteneció al autor durante 30 años, a pesar de que vivió aquí esporádicamente sólo durante diez años. Sin embargo algunos de sus libros más famosos incluido *For Whom the Bell Tolls* y *A Farewell to Arms*, fueron

---

escritos al menos en parte en Key West. Para apreciar la vista, vale la pena subir al faro ubicado enfrente.

El famoso pintor y naturalista John James Audubon llegó a Key West en 1832 para pintar las aves de los cayos. La denominada **Audubon House** tiene algunos bonitos muebles ingleses, pero sólo una leve conexión con el pintor. Es un poco desilusionante saber que el gran naturalista era tan aficionado a dispararle a las aves como a pintarlas.

En Front Street, el **Mel Fisher Museum** exhibe hallazgos del *Nuestra Señora de Atocha*, uno de los ocho galeones españoles que en 1622 naufragó en un huracán en las afueras de esta costa. Luego de años de búsqueda, en 1985 Fisher encontró el tesoro, valuado en cientos de millones de dólares.

Dé un paseo por el Truman Annex, una atractiva reurbanización de antiguas viviendas navales, para ver la **Truman Little White House** impecablemente restaurada, refugio favorito del presidente Harry S. Truman en los años 30 y 40. Cerca de ahí, en un pequeño parque estatal, no queda mucho del fuerte Zachary Taylor, pero la playa es una de las mejores de la zona. Aquí, la intensa luz del sol puede ser un problema, de manera que tome precauciones contra la insolación, incluso cuando camine por las calles de la ciudad. Afortunadamente, en Smathers Beach camino al aeropuerto, hay palmeras que proporcionan sombra. El arrecife de coral que está a cierta distancia de la costa, rompe las olas creando un paraíso para quienes practican esnórquel.

LA COSTA DEL GOLFO

Hasta hace poco la costa del golfo se mantenía como un secreto bien guardado, el cual recién empiezan a descubrir los veraneantes europeos. Las tranquilas y cálidas aguas, además de las arenas blancas con su suave inclinación son perfectas para los niños, además hay muchas diversiones fuera de las playas. Los pueblos de rápido crecimiento desde Naples hasta San Petersburgo brillan bajo el sol y hacia el interior hay una proliferación de parques empresariales, centros comerciales y urbanizaciones residenciales. Los antiguos pueblos pesqueros gradualmente están siendo

Tranquilo aislamiento en una de las numerosas islas frente a la costa oeste de la Florida Central .

invadidos por nuevas construcciones.

Gran parte de la línea costera está protegida por largas barras de arena a poca distancia de la costa, lo que implica que para encontrar la playa hay que cruzar lagunas de sal por los pasos elevados o en bote. Desde Marco Island cerca de los Everglades hasta Tampa Bay, hay 290 km. (180 millas) de ensenadas, lagos, penínsulas e islas que conforman un paraíso para navegar o pescar.

El elegante pueblo de **Naples** tiene un muelle para pescar y una famosa playa de caracoles, donde los coleccionistas llegan temprano en la mañana para ver lo que ha dejado la marea. El Village en Venetian Bay demuestra lo atractivo que puede ser un centro comercial; si desea ver las casas más lujosas que hay frente a la costa, tome un crucero con cena en una embarcación alrededor del laberinto de ensenadas.

El **Teddy Bear Museum** (2511 Pine Ridge Road) más parece una tienda muy grande, con unos pocos artículos históricos y valiosos de colección. Los fanáticos por los automóviles clásicos encontrarán la mejor colección de Porsches fuera de la fábrica de Stuttgart, en el **Collier Automotive Museum** (2500 S. Horseshoe Drive), junto con automóviles de carrera históricos. En la intersección de Fleischmann Boulevard y la U.S. 41, **Jungle Larry's Zoological Park** exhibe animales de caza mayor y aves salvajes en un jardín tropical.

Si prefiere ver a las criaturas en su ambiente natural, siga por la calle 846 hasta **Corkscrew Swamp**. La National Audubon Society ha preservado un santuario de 4,400 hectáreas de parque natural. Casi 3 km. (2 millas) de paseos peatonales se internan a través de grandes cipreses pelados (llamados así porque pierden el follaje en invierno).

Fort Myers

Precisamente al sur de Fort Myers puede visitar la **Edison Winter Home** (2350 McGregor Boulevard). Thomas Alva Edison (1847–1931), el genio inventor que dio al mundo la bombilla eléctrica, el fonógrafo, el telégrafo y mucho más, se trasladó aquí en 1886 por razones de salud. Construyó un laboratorio y en su búsqueda de nuevos materiales creó el jardín de plantas y árboles exóticos. El enorme árbol de higuera fue una vez un retoño, regalo de Harvey Firestone, fundador de la compañía de neumáticos. La excursión incluye el laboratorio de Edison, una colección de automóviles y fonógrafos antiguos y su estudio lleno de artículos personales. Henry Ford, gran amigo del inventor construyó una casa inmediatamente al lado, también puede visitarla, aunque no es de tanto interés.

La **Shell Factory** (Fábrica de conchas), 6.5 km. (4 millas) al norte de Fort Myers, tiene una gran colección, pero es principalmente una tienda de regalos. En la misma zona puede visitar una planta empacadora de limones y extractora de jugos, o dirigirse al interior para una interesante visita al **Proyecto ECHO**, al costado de Durrance Road al noreste de Fort Myers. Aquí, en un programa de ayuda para combatir el hambre en el mundo, las plantas son sometidas a pruebas bajo todo tipo de condiciones, y las semillas de las variedades exitosas se envían a los países en desarrollo.

En la misma zona, **Babcock Wilderness Adventure** (al costado de la carretera estatal 31) lo lleva por un paseo entre pantanos y bosques, deteniéndose para admirar la vida silvestre. Los cocodrilos que hay a través de los históricos senderos, lo harán apreciar las condiciones a las que se debían enfrentar los primeros pioneros. Es necesario hacer reservas por teléfono al (941) 489-3911.

Refugios mar afuera

Son sólo manchitas en el mapa de la Florida, se trata del conjunto de islas que se extiende como un anzuelo desde la boca de río Caloosahatchee cruzando Charlotte Harbour que son veneradas y tenazmente protegidas por sus residentes. **Sanibel,** la más austral es famosa por sus conchas de mar y por el J.N. Darling National Wildlife Refuge. También es muy conocida por sus embotellamientos de tránsito en temporada alta, aunque no es mucho lo que puede ver desde un automóvil y hay pocos lugares donde detenerse. Para apreciar esta zona y su vida silvestre, realmente necesita meterse al agua. La pequeña isla **Captiva** está comunicada con Sanibel por una carretera, pero a North Captiva y Cayo Costa sólo se puede llegar en barco. Durante mucho tiempo **Boca Grande** (se puede acceder por un puente con peaje vía Englewood) ha sido un refugio de invierno para los ricos habitantes del norte.

Al norte, en tierra firme, **Venice** tiene algunas hermosas playas públicas. También es el cuartel de invierno del **Circus World** de los hermanos Ringling, Barnum y Bailey, desde que se trasladaron de Sarasota.

Sarasota

Esta capital cultural de la Florida con estilo propio es la favorita de los visitantes. Sus residentes insisten en que es la reina de la costa, con su orquesta propia y temporadas de invierno de danza, ópera y teatro.

Cerca del centro, el **Van Wezel Performing Arts Hall** es un hito de la ciudad. Terminado en 1970 y apodado el "asiento púrpura," se yergue en la bahía como una impresionante concha lavanda. En el centro, en Main Street, busque las mayores librerías liquidadoras de restos de ediciones fuera de la ciudad de Nueva York.

El **Jungle Garden** de Sarasota es otro de los hermosos

jardines botánicos de la Florida, que alberga algunos animales salvajes; los **Selby Gardens**, frente a la bahía, tienen miles de orquídeas y nenúfares sombreadas por higueras y bambúes.

Al otro lado de la Ringling Causeway al costado de la U.S. 41, camino al cayo y Playa Lido, se encuentra **St. Armand's Circle**, el centro comercial y de restaurantes más lindo de Sarasota. La próxima isla fronteriza hacia el sur, **Siesta Key** afirma contar con la arena más blanca del mundo y tiene información científica para probarlo. Además, si la moja adecuadamente, es fantástica para construir castillos. La marea baja atrae a los buscadores de conchas, que caminan encorvados raspando la arena.

Una réplica del David de Miguel Ángel en el patio del Ringling Museum.

A comienzos de 1920, John y Mable Ringling de reconocida fama circense, construyeron su **propiedad** precisamente al norte de Sarasota. En sólo unos años, esta pareja había construido un palacio estilo veneciano y un museo lleno de cientos de obras de arte que reflejaban su pasión por el renacimiento y el barroco italianos.

El **Ringling Museum** tiene varios dibujos de Rubens para el ciclo *Triunfo de la Eucaristía* (los otros dos existentes están en el Louvre en París). Hals, Cranach y Veronese también están representados en esta soberbia colección de pintura de los siglos XIV al XIX. No se pierda las pinturas menos publicitadas de Joseph Wright de Derby, Rosa Bonheur, y

Burne-Jones (la extraordinaria *Las Sirenas*). Cerca del museo está el **Asolo Theater**, una joya estilo rococó traída piedra por piedra desde Asolo, al noroeste de Venecia, Italia y rearmada aquí a comienzos de los años 50.

Ca' d'Zan ("Casa de Juan" en dialecto veneciano) ha sido considerada presuntuosa, pero si los Ringlings querían una casa al estilo de un palacio veneciano, ¿por qué no? No se puede negar que es impresionante, ubicada en las costas de la bahía. El candelabro de cristal fue traído desde el hotel Waldorf-Astoria de Nueva York.

El estado de la Florida, al cual Ringling legó su propiedad y colecciones, construyó posteriormente el **Museo del Circo** en los alrededores, con sus dorados vagones de circo y antiguos afiches. En **Bellm's Cars and Music of Yesterday**, inmediatamente al otro lado de la U.S. 41 se puede ver una inmensa cantidad de automóviles antiguos y 2,000 instrumentos musicales mecánicos, pianos de concierto, órganos de feria, cajas musicales y fonógrafos. Al este de Sarasota en la Ruta 72, puede andar en bicicleta, conducir o dar un paseo en bote por el Myakka River State Park, o bien hacer excursiones a lo largo de sus 60 km. (37 millas) de caminos naturales.

St. Petersburg

Más al norte de la costa, el impresionante puente con peaje Sunshine Skyway se yergue a gran altura sobre la entrada de la

En la costa de la Florida los pelícanos son tan comunes como las palomas.

bahía de Tampa. Ubicada al norte, St. Petersburg es una ciudad tranquila y extensa, donde los precios de los moteles y restaurantes son razonables. Los estadounidenses piensan que "St. Pete" está lleno de jubilados, sin embargo en los últimos años muchas empresas se han trasladado acá y el área céntrica se encuentra en vías de ser remodelada. La pirámide invertida de extraña apariencia, que aparentemente flota en el agua es **Pier Place**, un complejo de tiendas con un patio de comidas y un restaurante en la parte superior. Desde el muelle salen los barcos pesqueros y los cruceros de placer.

A unas pocas cuadras en 4th Street, **Sunken Gardens** es un derroche de colores tropicales, con vida silvestre y aves entre la buganvilla y si lo desea, "la tienda de regalos más grande del mundo". El **museo de Salvador Dalí** (1000 3rd Street South) fue donado a la ciudad por dos amigos de Dalí de Cleveland, Ohio. Abierta en 1982, esta gigantesca acumulación de obras del surrealista español incluye pinturas, esculturas y artes gráficas. Si considera que no puede digerir tanto sobre Dalí, lo espera un antídoto en el **Museo de Bellas Artes** en las calle que conduce al muelle. Ecléctica y accesible, con obras de Renoir y Cézanne además de los pintores norteamericanos Georgia O'Keeffe, Whistler y Grandma Moses, esta colección es un deleite.

Pinellas Suncoast

St. Petersburg se encuentra frente a la bahía, sin embargo, a varias millas en la costa del Golfo está **St. Petersburg Beach**, el comienzo de una hilera de 32 km. (20 millas) de islas formando una barrera que se extienden al norte de **Clearwater Beach** y a veces se las conoce en su conjunto como Pinellas Suncoast.

De un extremo al otro, el tramo está conformado por hoteles, moteles, bloques de departamentos, distribuidores de comida rápida y restaurantes y se puede llegar a él por cuatro carreteras. Pero no lo deje para después: la playa con una leve inclinación es magnífica, de hasta 183 metros de ancho, con algunos muelles para pescar. Las puestas de sol son legendarias, con una mezcla aterciopelada color carmesí

La industria de las esponjas de Tarpon Springs sobrevive hasta hoy en día.

y púrpura.

En John's Pass, el mar separa Madeira y Treasure Island y están conectados por un puente. Aquí, el Village y el Boardwalk son un complejo de restaurantes, bares y tiendas.

En **Tarpon Springs** al norte de Clearwater, se estableció la industria de esponjas cuando se trajeron buzos griegos a comienzos del siglo XX. A pesar de las enfermedades y de la competencia generada por las esponjas sintéticas, todavía funciona, aunque actualmente la pesca de camarones es mucho más importante. En *Spongeorama*, puede aprender acerca de la historia de la captura de esponjas y visitar diversas exposiciones sobre la criatura marina cuyo esqueleto termina en su baño.

De cuarenta y ocho kilómetros hasta la costa, el parque temático **Weeki Wachee** ofrece aves de rapiña y toboganes de agua, pero la atracción principal es un increíble ballet bajo el agua, *The Little Mermaid* (La sirenita). Doncellas de pelo suelto y cola de pez contienen la respiración, sonríen valientemente y realizan acrobacias.

Tampa

La gran ciudad de la costa del Golfo sigue siendo bastante compacta, pero extendiéndose con rapidez hacia el centro y hacia el exterior de la bahía. En **Ybor City**, hay una importante reconstrucción en proceso, donde en alguna oportunidad hubo 200 fábricas de puros en las cuales trabajaban miles de obreros cubanos, desterrados de su país en el siglo XIX. La Gran Depresión de los años 30 le propinó un golpe casi fatal a la industria.

El área que está a lo largo de la Séptima y Octava avenidas entre las calles 13 y 22 ha permanecido inalterable en el tiempo. En la actualidad, en medio de las pequeñas tiendas y bares de bocadillos cubanos, han aparecido tiendas de recuerdos, de antigüedades y restaurantes elegantes.

Busch Gardens

En un enorme parque al noreste de Tampa, el gigante cervecero Anheuser-Busch ha amontonado las atracciones como si tratara de superar a todos su rivales. El tema general es el "Continente Negro", y los edificios se parecen a los del sur de Marruecos. Consiga un mapa en la entrada: la disposición del parque es confusa.

Las abiertas planicies del **Serengeti**, con sus animales de caza mayor y sus manadas de cebras y antílopes pastando, pueden verse desde un teleférico, un monorriel o un tren antiguo. Pruebe los tres. Puede hacer el descenso en balsa por el río Congo o gritar al descender por una cascada. Hay un espectáculo en hielo y un viaje en un alucinante simulador, **Questor,** supuestamente la máquina para viajar por el universo de un excéntrico profesor británico. Las **montañas rusas** Python y Scorpion lo ponen de cabeza a velocidad vertiginosa, y un bote mecedor gigante, **The Phoenix**, hace lo mismo con gran suavidad.

Si tiene 21 años o más, está invitado a visitar la cervecería del lugar y a probar la cerveza en la Hospitality House. Puede dedicar fácilmente un día completo para apreciar Busch Gardens y sacarle partido a su dinero.

El vecino parque acuático **Adventure Land** (los mismos dueños) cuenta con cascadas, toboganes acuáticos y olas. Permanece cerrado en invierno.

QUÉ HACER

DEPORTES

Con un invierno igual al verano que otros disfrutan y mares tan tentadores como una laguna tropical, aún antes de deshacer las maletas la Florida ya lo tendrá afuera y jugando.

Aquí el golf y el tenis prácticamente tienen la categoría de religión. Las aguas son ideales para navegar, hacer canotaje y pescar. Puede pasear, andar a caballo y cazar (aquí significa disparar). Los espectáculos deportivos en diferentes épocas del año incluyen fútbol (americano), béisbol, baloncesto e incluso polo. Puede ver y apostar a perros y caballos además de la especialidad local, *jai alai*, una versión vasca superrápida de squash que se juega con una canasta.

En los famosos circuitos de Dayton, Sebring y Miami compiten los automóviles deportivos, los *grand prix* y los de carrera. Además, se vive la actividad al aire libre más popular de todas, llegar a la playa y ocasionalmente refrescarse en el mar.

Deportes acuáticos

El objetivo de prácticamente todos es meterse o sumergirse en el agua. Si prefiere hacer windsurf, buceo, esquí acuático o simplemente nadar, hay espacio suficiente para todos en las playas de la Florida y los protegidos canales navegables del interior.

Tiene la posibilidad de **bucear** a lo largo de la costa del Atlántico, pero la mejor zona se encuentra en los alrededores de los Cayos de la Florida, que incluye más de 32 km. (20 millas) de arrecife de coral en John Pennekamp State Park (ver página 69). Al llegar necesitará una tarjeta de buzo certificado o tomar clases; para mayores detalles diríjase a cualquier tienda de buceo.

También es fascinante practicar **esnórquel** en medio de peces espectaculares. Se ruega a todos que ni siquiera toquen el coral, además es ilegal sacar siquiera un pedazo. Puede arrendar todo el equipo necesario; compare para conseguir el mejor precio.

Las olas grandes para practicar **surf** se encuentran principalmente en la costa atlántica, Cocoa Beach y Melbourne
Beach son las favoritas. Las aguas protegidas por las numerosas islas de la barrera de la Florida o los mares generalmente más tranquilos de la Costa del Golfo son ideales para
practicar **esquí acuático** o **windsurf**.

Con una zona costera tan larga, las **playas** son innume-
rables y, a menudo, prácticamente interminables (por ejemplo la de Daytona, se extiende por 37 km./23 millas), aunque
el acceso pueda ser restringido por propiedades privadas. Si
considera que en un lugar hay demasiada gente, con solo
caminar un poco encontrará algo de soledad; la mayoría de
las personas no se alejan mucho de sus automóviles.

A veces hay problemas con las medusas, incluyendo al
agua mala, que pica muy fuerte; o acumulaciones de algas y
ocasionalmente tormentas del Atlántico que pueden arrastrar
un tramo de arena.

Generalmente en las playas populares hay salvavidas,
especialmente los fines de semana. Además muchas tienen
instalaciones para asados, pero por lo general se prohibe el
alcohol, los envases de vidrio y las mascotas.

Cuídese del sol, especialmente si está practicando
esnórquel. puede sentir que su espalda está fría y seguirse

Se puede apreciar el espectacular arrecife de coral durante
una aventura de buceo.

quemando, a menos que se haya aplicado protector solar.

Pasear en botes y navegar a vela. Ninguna vacación en la Florida estaría completa sin salir siquiera una vez al mar. Hay gran cantidad de botes de motor, de vela y canoas disponibles para arrendar. Puede navegar prácticamente en todas partes. Algunos de los mejores recorridos en lancha se encuentran en Everglades City entre Ten Thousand Islands y hacia el sur en la bahía de la Florida. Puede conseguir mapas de navegación en las marinas y en los negocios de venta de mapas.

Los **paseos en aerobote** son una forma ruidosa pero fascinante de recorrer las aguas poco profundas y pantanos; además en los **barcos con fondo de vidrio** puede apreciar los arrecifes de coral sin mojarse.

Además hay cerca de 35 rutas oficiales de **canotaje** por los Everglades y en los ríos que corren desde los manantiales y lagos del centro de la Florida. El departamento de Recursos Naturales del estado publica una guía gratuita (3900 Commonwealth Boulevard, Tallahassee, FL 32399-3000). Para arrendar canoas, consulte las *Páginas Amarillas* bajo Boat Dealers, o pregunte en la cámara de comercio local.

Pesca. Cientos de especies diferentes de peces habitan los ríos, arroyos y mares. Puede arrendar cañas y carretes, o si es entusiasta, es un buen lugar para comprar un equipo. En los negocios en que venden carnada en los puertos y muelles

La bahía de Coconut Grove.

En la Florida la pesca es el pasatiempo favorito y pueden lograrse los especímenes más grandes.

pesqueros lo asesorarán gratuitamente respecto a qué pescar. Generalmente su principal problema será competir contra los pelícanos, que merodean con la esperanza de robar algo de lo que usted ha pescado. En el proceso pueden quedar enganchados ellos mismos: si esto sucede, libérelos con muchísimo cuidado. (Si es posible pida ayuda.)

En todas partes, las marinas están atestadas de barcos pesqueros de altamar para arriendo, incluido un bien informado capitán. Además de eso, únicamente necesitará muchísima paciencia. Algunos botes van a la captura de caballa y *amberjack* que son más seguros, pero puede intentar con los más grandes, el pez aguja y el tiburón, o el incomible *tarpon* que puede pesar entre 30 y 40 kg (60 y 100 libras).

En algunos complejos turísticos hay una sucursal del FISH (la Florida Inland Sportsfishing Hosts), que se dedica a hacer de usted un visitante habitual. Publican folletos con mapas de las aguas y listas de alojamientos, lugares para acampar y normas de pesca. Okeechobee es bueno para la pesca de lago, también se encuentran grandes corvinas en los ríos o en Lake George. Los canales están bien provistos y a veces es posible encontrar peces de agua salada como el *tarpon* o *snook*.

Para mayor información sobre embarcaciones y pesca, escriba al Department of Natural Resources (Departamento de Recursos Naturales), 3900 Commonwealth Boulevard,

Tallahassee, FL 32399-3000. Si es mayor de 16 años y tiene pensado pescar necesitará un permiso turístico, ya sea en agua salada o dulce. Se puede conseguir en las marinas y negocios de implementos de pesca.

Caminata. La mayoría de las personas siempre camina o trota por las playas, sin embargo hay rutas señalizadas en los bosques nacionales y parques estatales. Sólo los miembros de la Florida Trail Association pueden usar las rutas que pasan por propiedades privadas. La membresía no es cara. Escriba a: la Florida Trail Association Inc, P.O. Box 13708, Gainesville, la Florida, FL 32604.

Pase un día jugando golf en uno de los muchos desafiantes y extensos campos de golf.

Golf. En el estado de la Florida hay más de 1,000 campos de golf, más de 40 campos solamente en el Gran Miami, además de una gran concentración al norte de la Gold Coast y en el centro y al norte de la Florida. Algunas compañías turísticas ofrecen paquetes que incluyen tarifas para el campo, sin embargo los precios regulares son razonables, especialmente si comienza después de las 3:00 p.m. Si no cuenta con equipo, en algunas canchas arriendan los palos e incluso los zapatos, además de que la Florida está llena de tiendas de golf. Puede ser que le soliciten arrendar y utilizar un carrito para desplazarse (y obedecer las advertencias de no pasar por encima de cocodrilos). Las cámaras de comercio locales le proporcionarán listas de los campos.

Los campos de golf de los complejos turísticos están llenos de personal que necesita propina, por ningún motivo lo dejarán llevar sus palos. En verano evite jugar a mediodía. Ni siquiera los infaltables carritos de bebidas logran hacerlo agradable. Las tarifas son más bajas en verano, cuando se han ido las multitudes.

Tenis. Muchos de los mayores hoteles tienen canchas; algunos complejos turísticos tienen instalaciones para su aprendizaje y organizan torneos. En Miami Beach hay cerca de 50 canchas en dos centros tenísticos separados. En Orlando puede reservar las canchas de arcilla del Orlando Tennis Club o las de asfalto en el club público de Winter Park. El Contemporary Resort de Walt Disney World tiene una clínica de tenis con equipo de video, pistas de entrenamiento y máquinas automáticas lanza pelotas. Dondequiera que esté en la Florida, no estará lejos de un club de tenis, sin embargo, en verano es mejor jugar temprano en la mañana o al final de la tarde, evitando así la combinación de sol caluroso y humedad.

Caza La mayoría de los turistas que van a la Florida en una excursión de dos semanas no vienen a cazar. Sin embargo, algunas partes del norte de la Florida ofrecen la mejor caza del pavo silvestre; casi en todas partes se pueden cazar conejos, zorros y mapaches y en algunos distritos se pueden cazar ciervos. Es necesario contar con un permiso. Para mayores detalles, comuníquese con la Game and Freshwater Fish Commission.

Deportes profesionales. El clima hace que el estado sea ideal para que los equipos de béisbol del norte se mantengan en forma durante el invierno. Los Boston Red Sox, Baltimore Orioles y muchos otros juegan partidos de entrenamiento en primavera en varias ciudades de la Florida. Recientemente han llegado al estado equipos deportivos profesionales. La Florida actualmente se jacta de contar con un equipo campeón mundial de béisbol, los Marlins; un equipo de hockey en hielo, los Panthers; y en baloncesto profesional, The Miami Heat.

Compre sus gafas y esnórqueles en plena noche, en la tienda Ton Jon Surf de Cocoa Beach.

En cuanto al **fútbol** profesional americano, Miami tiene sus famosos Dolphins, que juegan en el Pro Player Stadium (estadio de los Marlins) y Tampa Bay es la base de los Buccaneers. En el inmenso **Orange Bowl** de Miami juegan los Hurricanes de la Universidad de Miami y el 1er día de enero los dos equipos universitarios principales se enfrentan en el Orange Bowl Classic.

La Florida organiza algunos importantes torneos de **tenis,** especialmente el Lipton International en Key Biscayne que se juega en marzo.

Respecto al **golf** profesional, el abierto Doral-Ryder PGA se juega en Miami en febrero o marzo y a continuación, el Honda Classic.

Las **carreras de caballos** se llevan a cabo en el Hialeah Park de Miami (temporada corta de invierno), el hipódromo Calder al norte de Miami, Parque Gulfstream en Hallandale, Florida Downs en Tampa (enero hasta mediados de marzo) y Gator Down, Pómpano, que también tiene carreras de trotones. (Para mayores detalles consulte la prensa local.) Entre los lugares donde se efectúan **carreras de galgos**, se incluyen Daytona, Hollywood, Key West, Miami, Orlando y Tampa. Si prefiere una diversión menos común, el polo es un popular deporte de invierno en Boca Ratón.

Más intrigante para un turista es el dinámico juego vasco del **jai alai**. Se juega por las noches en la temporada en el Miami Frontón (3500 NW 37th Avenue) además de Dania, Daytona y Tampa. Los boletos son más baratos porque se trata de alentarlo a apostar en el sistema *parimutuel* (totalizador), que también controla el juego en las carreras de perros y caballos.

Por último, los **automóviles** y las **motocicletas** compiten en el Daytona International Speedway. En febrero, miles de personas se reúnen en el famoso Daytona 500 y en marzo en Sebring, ciudad del centro de la Florida, se efectúa la carrera internacional de automóviles deportivos que dura 12 horas. En el Grand Prix de Miami se usan las pistas de la antigua base aérea de Homestead.

DE COMPRAS

Los magos de la comercialización de Estados Unidos pueden ofrecerle ofertas en todo tipo de productos, así como también una amplia variedad. En las publicaciones del fin de semana de los periódicos locales, verifique los precios que anuncian las tiendas de descuento. Si le interesan los equipos electrónicos, no olvide que los equipos estadounidenses funcionan con 110 voltios, de manera que asegúrese de que lo que compre se pueda adaptar al voltaje de su casa.

Son enormes las diferencias de precio entre una tienda y otra. Si compra un traje de baño en la boutique de un hotel ubicado frente al mar, éste puede costar cuatro veces más que uno idéntico en una tienda de departamentos que está a unos 200 metros (200 yardas). Vale la pena mirar vitrinas.

Se encuentran aún mejores ofertas en las liquidaciones que efectúan la mayoría de las tiendas varias veces al año, generalmente después de Navidad, del 4 de julio y en otros festivos. Al precio de todas las compras se agrega un impuesto sobre las ventas de aproximadamente el 6.5 por ciento.

Cuándo y dónde comprar

Los horarios varían: los centros comerciales suburbanos abren los siete días de la semana, de 10:00 a.m. a 9:00 p.m., mientras que las tiendas en los centros de la ciudad, generalmente sólo abren hasta alrededor de las 5:30 p.m. y cierran los domingos. Las grandes cadenas de tiendas sólo cierran los días de feriado nacional, y no en todos.

Además de los centros comerciales, supermercados, tiendas de especialidades, de descuentos y cadenas de almacenes, la Florida tiene un estilo para comprar que sólo se encuentra en los lugares más prósperos del mundo: centros comerciales de prestigio. Los edificios mismos reflejan las mercancías que expenden. Ambientados en un paisaje tropical, esculturas modernas y fuentes, generalmente tienen el diseño innovador de creativos arquitectos. En su interior, lo mejor de las boutiques de los diseñadores estadounidenses, tiendas de antigüedades y joyerías con sucursales alternan con sucursales de famosas casas de moda europeas. Incluso si los precios están fuera de su alcance, no hay nada que le impida mirar vitrinas.

Qué comprar

La Florida tiene los ojos puestos en Europa, Nueva York y California y responde a la moda con lo último en **ropa deportiva**, trajes de baño, trajes de noche y zapatos.

"Las tiendas del oeste" venden artículos de cuero y **ropa de vaquero.** Este es un estado ganadero, por lo que en realidad abastecen a los verdaderos vaqueros y rancheros, no a los turistas, si bien por estos días la mercadería no siempre se fabrica en Estados Unidos. Un par de botas vaqueras que le queden bien le pueden durar años. Además puede comprar chaquetas indias con flecos, jeans, hebillas de plata, sombreros y guantes de cuero, además de carteras y billeteras trabajadas en cuero.

Algunas tiendas venden **artesanía indígena** proveniente de toda América, incluyendo finas mantas tejidas, ponchos, tapices y faldas. Los seminoles locales se especializan en ropa para niños en *patchwork*. Puede regatear en joyas semipreciosas, generalmente turquesas engastadas en trabajos en plata y cerámica artística. Los precios son un poco altos, en los últimos años han aumentado considerablemente.

Puede parecer extraño llegar aquí y comprar artículos orientales y asiáticos, pero las importadoras tienen ofertas en rafia tejida, madera, cuero, además de muebles de mimbre y alfombras.

Estados Unidos es el hogar de los aparatos y maravillas

electrónicas, desde juguetes hasta computadores portátiles, muchos de ellos importados, sin embargo a menudo los encontrará más baratos acá. Los aficionados a los **deportes** deben verificar los equipos en oferta, especialmente en el caso del golf, tenis y pesca.

Y por último, puede enviar una caja con el sol de la Florida. Los puestos de venta más grandes que hay a la orilla del camino empacarán y le enviarán a casa sus propias mandarinas, naranjas, toronjas o una mezcla de todo.

ESPECTÁCULOS

En el centro de **Miami,** concentrado en la Pequeña Habana, la nota dominante es lo cubano; donde los exiliados muestran cómo era el país antes de la revolución. En los clubes de cena y en las discotecas sube la temperatura con los últimos sonidos del merengue, salsa y cumbia. Los "anglos" necesitan algunas lecciones antes de salir a bailar una lambada. Para ellos, las opciones se diversifican en **Miami Beach**, especialmente a lo largo de Ocean Drive que está de moda y Washington Avenue en South Beach, donde los bares y restaurantes ofrecen jazz en vivo y los clubes abren y cierran una velocidad desconcertante. El rock, el *reggae*, el resurgimiento de los años 60, los clubes para homosexuales, los *pubs* británicos e irlandeses; cualquier excusa sirve para beber y bailar.

El ambiente es igual de variado en **Coconut Grove.** Los viernes y sábados en la noche se llega a pensar que en Miami todos han salido a pasear en automóvil por las calles y a llenar los bares. La música resuena desde los automóviles y cafés hasta altas horas de la noche y los artistas callejeros divierten a la multitud. Si prefiere algo

Llamativos tejidos, fabricados por los indios seminoles locales.

más tranquilo, Miami y Miami Beach además cuentan con una gran cantidad de pianobares. Algunas agencias organizan giras a los clubes nocturnos en un paquete que incluye beber un coctel en uno y cenar en otro, a veces se incluye un espectáculo en vivo.

Orlando ha sacado provecho de la afluencia a los parques temáticos al instalar clubes nocturnos, salones del oeste y bailarinas de cancán en los bares del centro de Church Street Station y en sus alrededores. En las tardes, en los bares y salones de baile de Pleasure Island, Walt Disney World intenta retener a sus visitantes con música típicamente norteamericana, *dixieland, folk, country* y *western, disco* y *heavy metal.* Los hoteles de Disney cuentan con sus propios espectáculos, desde el hula-hula tahitiano en el Polynesian Resort hasta espectáculos musicales al estilo Broadway en el Contemporary Resort.

Otros paquetes con espectáculo y cena en el área de Orlando incluyen "Arabian Nights" (con 60 caballos), "Fort Liberty" (Indómito Oeste), "King Henry's Feast," y "Medieval Times." Estará un poco apretado y el humor no es sutil, pero tienen precios competitivos, están bien organizados y son entretenidos.

Teatro, conciertos, ópera y ballet

Broadway envía espectáculos en gira al Jackie Gleason Theater de Miami Beach, al Coconut Grove Playhouse y a Palm Beach, Fort Lauderdale y Sarasota. En Fort Lauderdale y Tampa puede encontrar esa práctica tan típicamente estadounidense de la cena-espectáculo.

En Miami, en el Gusman Center for the Performing Arts y el Convention Center frente a Du Pont Plaza, hay conciertos de música clásica y rock durante todo el año. En el Dade Country Auditorium (2901 West Flagler Street) se realizan las temporadas de invierno de la Greater Miami Opera y del Miami City Ballet.

Sarasota declara ser la capital cultural del estado y respalda su afirmación con conciertos, ballet, opera y obras teatro en el Van Wezel Hall y en el Centro Asolo del museo Ringling.

Key West se especializa en música en vivo de tipo informal en sus bares y cafés. El Tennessee Williams Playhouse, como su nombre lo sugiere, ofrece representaciones teatrales un poco más exigentes que las comedias musicales de la costa.

CALENDARIO DE ACTIVIDADES

En la Florida se realizan muchas actividades especiales. A continuación se enumeran algunas; para mayores detalles, compre una copia de la revista *What's On*.

Enero

- *Festival griego* (Tarpon Springs)
- *Fin de semana Art Deco* (Miami Beach)
- *Three Kings Parade* (Pequeña Habana de Miami). Espectáculo latino con bandas, carrozas, desfiles y bailes.

Febrero

- *Rodeo de Silver Spurs* (Kissimmee). Una feria semianual con laceo de vaquillas, novilladas y otras proezas de vaqueros.
- *Old Island Days* (Key West). Concurso de soplar caracoles, desfiles y otros eventos que conmemoran los comienzos de la historia de la isla.
- *Big Orange Music Festival* (Miami). Celebración que se realiza en todo el condado de Dade con representaciones musicales de todo tipo, desde música clásica hasta rock.
- *Festival International de Cine de Miami*
- *Kissimmee Valley Livestock Show Fair*

Marzo/abril

- *Easter Sunrise Service* (Cypress Gardens). Un servicio que se lleva a cabo al amanecer en el Domingo de Pascua de Resurrección.

Abril

- *Miami Grand Prix*
- *JazzFest Kissimmee*

Julio

- *Silver Spurs Rodeo* (Kissimmee). Se repite la actividad el mes de febrero.
- *All-American Water Ski Championship* (Cypress Gardens). Los profesionales compiten en la capital del esquí acuático de la Florida.

Septiembre

- *Aniversario de la fundación de San Agustín*
- *Festival de Arte Osceola*

Octubre

- *Semana de la Herencia Hispana* (Miami)

Diciembre/enero

- *Orange Bowl Festival* (Miami). Lo más destacado del Desfile Orange Bowl en vísperas de Año Nuevo.

SALIR A COMER

La Florida es una verdadera cornucopia de cítricos, verduras, ensaladas, carnes, pescados y mariscos. Cualquier cosa que falte simplemente se manda a pedir de fuera.

Cuándo comer

Encontrará algunos lugares que incluso están abiertos las 24 horas. El desayuno se sirve desde las 6:00 ó 7:00 a.m., el almuerzo desde alrededor de las 11:30 a.m. hasta la 1:30 p.m. y la cena desde las 5:00 ó 6:00 hasta las 9:00 ó 10:00 p.m.. El *brunch* (combinación de desayuno y almuerzo) se sirve los domingo entre las 11:00 a.m. y las 3:00 p.m. Algunos restaurantes ofrecen un "early-bird special", cena a un precio más bajo si la pide antes de las 5:00 ó 6:00 p.m.

Dónde comer

La fuerte competencia ha provocado sorprendentes ofertas en la escala más baja de precios; los restaurantes de comida rápida, étnicos y "familiares" y los buffets de consumo ilimitado generalmente se ofrecen a muy buen precio. Una comida más elegante le costará de dos a diez veces más, a veces vale la pena el gasto adicional. Pida la asesoría local, generalmente el personal del hotel es experto y libre de opinar. (Consulte además la sección RESTAURANTES en página 139).

Los **restaurantes de delicatessen** se especializan en enormes sándwiches de *corned beef* (carne en conserva), pavo ahumado, *roast beef* y muchos otros rellenos. El queso crema y el *lox* (salmón ahumado) en un *bagel* (una especie de rollo de pan firme) son muy apreciados dentro de las especialidades delicatessen, junto con el hígado salteado y el *pastrami*.

Comida para llevar. Al igual que los distribuidores de comida rápida, los establecimientos de delicatessen o carne fría de los mejores supermercados son un gran lugar para conseguir las provisiones para un picnic.

Desayuno. El desayuno continental incluye jugo, café y tostadas o un pastel dulce. Los huevos están en todos los menús, junto con el jamón, sémola de maíz y salchichas, tostadas francesas, waffles y panqueques. El café estadounidense les puede parecer un poco simple a los turistas europeos, aunque como norma se ofrecen a rellenarle la taza. Si lo que quiere es más sabor, busque un *snack bar* o puesto de café y beba pequeñas tazas de aromático café cubano.

Sopas. Puede hacer un verdadero almuerzo de una espesa y contundente sopa de mariscos, *navy bean* o frijoles negros cubanos. El caldo de caracol, disponible en los Cayos, combina leche, papas, verduras, especias y caracol de mar, una variedad de marisco.

Ensaladas. Muchos restaurantes ofrecen autoservicio de ensaladas. Por otra parte, generalmente la ensalada viene con el plato principal. La ensalada del chef es un plato en sí, preparado con lechuga, queso, jamón, pavo u otras carnes frías.

Pescados y mariscos. Entre los pescados y mariscos de la Florida se incluyen al pargo, *yellowtail*, cherna, camarón gigante, cangrejo de roca y langostinos ("langosta de la Florida"). No tema pedir delfín, no por el mamífero amistoso sino un sabroso pescado. Muchos restaurantes evitan confusiones usando el nombre hawaiano "mahi mahi." Nada se compara al sabor del pescado fresco asado (a la parrilla), servido con un

---

No sabrá qué elegir

Sus posibilidades para comer son tan variadas como las tendencias que conforman la población, y ¡vaya algunas! Hay restaurantes italianos, españoles, mexicanos, chinos, tailandeses, vietnamitas, japoneses, griegos, franceses, incluso *pubs* británicos que sirven pescado y papas fritas. La cocina cubana prevalece en la mayor parte de Miami, la cocina haitiana y otras cocinas caribeñas causan impacto y la comunidad judía ha traído desde Nueva York lo mejor de sus especialidades.

Y recuerde, en esta parte del sur le ofrecerán *grits* (como semolina sin azúcar) y *gumbo* (sabroso guiso con *quimbombó*). En los supermercados del norte de la Florida encontrará charchas de cerdo y *collard greens;* y, maní hervido en los puestos callejeros; ¡un viaje gastronómico para los aventureros!

simple limón y salsa de mantequilla. En los lugares más baratos es poco probable que esté fresco, pero seguramente habrá sido congelado. Existe una tendencia de "empanizarlo" todo, de manera que especifique si no lo quiere así. Los camarones se sirven a la parrilla, fritos o al vapor, a veces en cerveza.

Los cangrejos grandes, una delicia de temporada, tienen devotos partidarios. Algunos comensales se ponen servilleta para comer la carne, extrayéndola de las pinzas con la ayuda de un rompenueces y sumergiéndola en limón y mantequilla o mostaza y salsa de mayonesa.

A menudo verá publicidad de (restaurantes que sirven mariscos crudos). Generalmente sirven ostras, actualmente es el único producto del mar que se ofrece crudo.Si los nombres lo confunden, pida un plato con una combinación de diferentes tipos de mariscos, servidos calientes o fríos. Los amantes de la carne pueden servirse su bistec además de los mariscos, "Surf and Turf" es un plato de carne y mariscos.

Puede probar las frituras (trozos de caracol fritos), especialmente en los Cayos. Los chefs del interior prefieren siluro, una variedad de agua dulce que se fríe y se sirve con *hush puppies* (no zapatos, sino tortas de maíz fritas).

Carnes. Las principales son los churrascos, *roast beef* y pollo frito sureño. La mayoría de los restaurantes cubanos ofrecen picadillo (carne molida marinada mezclada con aceitunas, pimientos verdes, ajo, cebollas y salsa de tomate) arroz con pollo. Un plato popular mexicano es la *enchilada,* una tortilla (panqueque de maíz) rellena con carne y horneadas con salsa.

Verduras. Excepto en algunos restaurantes étnicos y de comida naturista, no se sirve gran variedad de guisos de verduras. Una notable excepción es el maíz o choclo. Las batatas o boniatos, confitados y cocidos, son un legado del Old South y la yuca,

Gourmet cuisine en un ambiente de invernadero.

abundante en almidón, se encuentra en algunos menús cubanos.

Postres. Dulce y cremoso, el *Key lime pie* se puede encontrar en cualquier parte de la Florida, pero especialmente en los Cayos. El *Boston cream pie* es una torta esponjosa rellena con crema y cubierta con abundante chocolate. El *cheesecake* es el rey supremo y existen muchísimas variedades (fresa, arándano, piña y por supuesto, *Key lime*).

Bebidas. Los jugos de fruta fresca son excelentes. Las grandes marcas de bebidas gaseosas están en todas partes, el agua con hielo es casi universal y el té helado es una especialidad estadounidense.

La cerveza fría es comparable a la *lager* europea, pero las marcas típicas de Estados Unidos tienen un sabor más dulce. Muchas cervezas extranjeras son importadas o fabricadas bajo licencia. "Light" (o "Lite") no significa que tenga bajo contenido alcohólico, sólo menos calorías.

Los vinos de la casa vienen en botella, jarra o vaso. Si pide de la lista, generalmente los vinos franceses e italianos no son mejores que los californianos de precios similares. Algunos restaurantes no tienen licencia para vender vino, pero no les importa si lleva su propia botella. El mozo la abrirá y le proporcionará vasos, con un pequeño recargo.

Los cocteles se sirven en vaso, o más económicamente, en jarra. La siempre popular piña colada combina ron, jugo de piña y leche de coco. Los daiquirís se hacen con ron y una mezcla de frutas: durazno, frutillas o plátano, por ejemplo. La mimosa es champaña con jugo de naranja y una margarita es una mezcla de jugo fresco de lima, tequila y hielo. El mozo la abrirá y le proporcionará vasos por un pequeño recargo.

Advertencia: las leyes sobre licores se hacen cumplir estrictamente. Puede comprar cerveza en muchas tiendas, pero los licores se venden sólo en las tiendas de licores. Las latas de cerveza, vino o licores no se deben exhibir en lugares públicos, sino que deben mantenerse dentro de bolsas en todo momento. El alcohol está prohibido en muchas playas y no se vende a menores de 21 años. Es probable que se le pida su cédula de identidad, donde aparece su fecha de nacimiento.

El oro de la Florida

Las cosechas de cítricos más grandes del estado lo convierten en el mayor productor del mundo de muchas variedades. Los grandes y pequeños productores tienen variedades embaladas listas para ser enviadas tan pronto como se reciba un pedido.

Aquí hay algunas de las variedades más populares.

Naranjas nável: Fáciles de pelar, de cáscara delgada y jugosas, las nável se cosechan en noviembre.

Naranjas temple: De mejor sabor que las nável, las temples se pelan como una mandarina, y casi no tienen semillas.

Naranjas valencia: De cosecha más tardía, las valencias aparecen en los puestos frutas de marzo a mayo. Son especialmente sabrosas en las ensaladas de fruta.

Mandarinas: Las mandarinas Robinson se cosechan entre octubre y noviembre. En diciembre y enero encontrará la variedad Dancy, en marzo, las mandarinas Honey sumamente dulces.

Tángelos: Siendo híbridos de la Florida, los tángelos combinan la característica de la mandarina que es fácil de comer con el sabor de un dulce pomelo o toronja.

Toronja: Desde el distrito Indian River, las Marsh Whites son más acidas, las Ruby Reds más dulces.

Pomelos: Como una toronja más grande, más áspera y más dulce.

Kumquats: Generalmente los agricultores regalan estas pequeñas miniaturas, que parecen naranjas ovaladas. Se come completa, hasta la dulce cáscara. Cuando compre fruta pida algunas.

Limón: Ponga una aromática rodaja de limón en su ginebra tónica.

ÍNDICE

INFORMACIÓN DE UTILIDAD

Resumen de información práctica en orden alfabético

La Florida

A

AEROPUERTOS

El Miami International Airport (MIA) es un lugar complicado y atestado de gente, justo al oeste del centro de la ciudad. Con más de 60 líneas aéreas, es uno de los aeropuertos más activos del mundo; tiene dos terminales conectados por un "peoplemover" automatizado. El terminal principal, dividido en pasillos (o zonas), tiene dos pisos, el nivel inferior para las llegadas y recolección de equipaje y el superior para las salidas y los trámites de boletos. En este lugar encontrará bares, restaurantes de comida rápida, teléfonos, tiendas y un mostrador de información abierto las 24 horas del día. Si no cuenta con suficientes dólares, cambie dinero en uno de los puestos de cambio. No es aconsejable ir a la ciudad sin suficiente moneda estadounidense.

Orlando (McCoy) International Airport (ORL o MCO) es espacioso, reluciente y en constante crecimiento. Hay dos terminales, cada uno con tiendas, restaurantes y puestos de cambio de moneda. Los trenes automáticos transportan a la gente a las puertas satélites. No hay carritos, así que se recomienda usar maletas con ruedas.

En ambos aeropuertos funcionan canales de aduanas de colores rojo y verde y por lo general los trámites son simples y rápidos.

Transporte terrestre. Desde Miami International, a Miami Beach un taxi demora normalmente entre 15 y 25 minutos (hasta una hora en las horas de congestión). Los vehículos de color azul brillante del Airport Region Taxi Service (ARTS) llevan pasajeros a lugares cercanos por una tarifa baja y fija. Los minibuses "Red Top" (con techo rojo) lo llevan a casi cualquier hotel del centro de la ciudad o de Miami Beach por un tercio de la tarifa del taxi. Aún más baratos son los autobuses municipales, que salen entre cada 30 y 45 minutos del nivel inferior del terminal principal. El sistema Tri-Rail llega hasta los centros turísticos de la Gold Coast.

Desde Orlando International salen taxis y minibuses que llegan al centro de Orlando, International Drive, Walt Disney World y Cocoa Beach. Algunos hoteles cuentan con minibuses gratuitos. Un autobús municipal llega hasta el centro de Orlando.

Hora de presentación. Llegue al menos una hora antes de la salida de los vuelos nacionales y una hora y media antes de la salida de los vuelos internacionales (las líneas aéreas sugieren dos horas). Para información de vuelos, llame a su línea aérea.

Otros aeropuertos de la Florida. Fort Lauderdale, West Palm Beach, Key West y Tampa tienen sus propios aeropuertos internacionales y hay varias otras ciudades que reciben vuelos nacionales.

Vuelos nacionales. Viajar en avión es el modo más rápido y cómodo para desplazarse por Estados Unidos. Algunas de las rutas más populares cuentan con servicios de transporte en minibuses. Los turistas extranjeros pueden comprar un boleto Visit U.S.A., que proporciona descuentos y no impone un programa fijo. Estos boletos deben comprarse antes de llegar a Estados Unidos (o en los primeros 15 días después de su arribo).

Las tarifas cambian constantemente, de modo que es una buena idea consultar con un agente de viajes la información más reciente sobre ofertas especiales.

ALBERGUES JUVENILES

Existen solamente unos 160 albergues en Estados Unidos. La mayoría se encuentra en las afueras de las grandes ciudades y las distancias entre ellos son enormes. Algunos hoteles económicos ofrecen un gran descuento a los miembros de la YHA (Youth Hostel Association). No existe límite de edad. Para mayores informaciones, escriba a: American Youth Hostel Association, Inc., National Campus, Delaplane, VA 22025.

ALOJAMIENTO (*ver también la sección* HOTELES Y CAMPING).

La Florida ofrece una enorme variedad de alojamientos de todo tipo de precio. Sin embargo, en temporada alta, puede ser difícil conseguir reservas, en especial en Walt Disney World y en los populares centros playeros. Haga sus reservas con bastante anticipación, incluso hasta un año antes puede no ser suficiente para los feriados de Navidad y de Pascua de Resurrección.

Los hoteles y moteles de Estados Unidos normalmente cobran por habitación, no por el número de ocupantes, pero es posible que en alguna promoción agresiva aparezca el valor por persona. Los impuestos estatales en ocasiones se agregan a la cuenta (ver página 117). La mayoría de las habitaciones cuenta con camas dobles, baño privado (una ducha en los moteles económicos) y un televisor en colores. También algunos tienen refrigerador e instalaciones para cocinar.

Las *efficiencies* son departamentos pequeños con *kitchenette* o cocina separada y una zona de comedor. Los artefactos de cocina incluyen fuentes, ollas y cubiertos. En los últimos años, los operadores de turismo han ofrecido cada vez con más frecuencia las villas y departamentos sin servicio de comidas.

En las zonas costeras, mientras más lejos vaya de la playa, menores deberían ser los precios. El precio de las habitaciones que dan hacia una piscina o hacia un jardín es a menudo dos tercios del precio de las habitaciones con vista al mar.

La temporada alta en la Florida es desde el 15 de diciembre hasta marzo o abril (incluida la Pascua de Resurrección). La temporada más tranquila es en mayo y junio y entre septiembre y noviembre, cuando los precios son por lo general más bajos. Algunos hoteles de centros turísticos ofrecen tarifas especiales a los huéspedes que almuerzan y cenan en el hotel. El American Plan incluye tres comidas al día y el Modified American Plan incluye desayuno y almuerzo o cena.

Los hoteles más grandes emplean a un conserje o portero que le puede organizar visitas, llamar un taxi o arrendar un vehículo, pero puede ahorrar dinero si hace sus propios arreglos.

ARRIENDO de BICICLETAS

En los balnearios populares existen tiendas que arriendan bicicletas por hora, día o semana. Constituyen una manera ideal de recorrer Key West, por ejemplo, con sus problemas de estacionamiento y sus cortas distancias. Existen pocas ciclovías segregadas (Coconut Grove es una excepción). Asegúrese de que incluya un candado y averigüe sobre el seguro contra robos.

ARRIENDO de VEHÍCULOS

Una gran competencia entre las compañías de arriendo de vehículos mantiene los precios relativamente bajos y los vehículos automáticos y con aire acondicionado son lo habitual. Si puede recoger y devolver el vehículo en el mismo lugar, vaya a uno de los negocios locales. Si planea dejarlo en otra ciudad, lo mejor es reservar el vehículo antes de llegar a Estados Unidos en una de las compañías internacionales. Será más barato.

Las agencias conocidas de arriendo de vehículos cobran valores de arriendo más altos, pero es posible que incluyan los costos del seguro en el precio: las compañías pequeñas, con poco o nada de seguro incluido en los valores, ofrecen lo que puede parecer una cobertura de seguros bastante cara. De una forma u otra, es aconsejable que se asegure de tener el CDW (renuncia de daños por colisión) o deberá pagar por algunos o todos los costos de las reparaciones.

Muchos paquetes vacacionales con todo incluido y con pasaje de avión y vehículo incluido prometen un "vehículo gratis", pero normalmente deberá pagar los impuestos de la Florida y el CDW al recoger el vehículo.

Los conductores mayores de 25 años que cuenten con una licencia de conducir vigente pueden arrendar un vehículo. Algunas agencias hacen excepciones con los conductores de 18 años que paguen con tarjeta de crédito. En el caso de los turistas de países donde no se hable inglés, es posible que se pida una traducción de la licencia de conducir, junto con la licencia misma o, si no se contara con ella, una licencia de conducir internacional.

En todo caso, es más conveniente pagar con una tarjeta de crédito conocida que en efectivo. Si no tiene tarjeta, debe dejar un depósito importante de dinero. En ocasiones se rechaza el efectivo en las noches y en los fines de semana. Para prolongar el arriendo del vehículo, informe a la oficina de origen o deténgase en la sucursal más cercana.

ASUNTOS de DINERO

(Las cantidades aparecen en dólares estadounidenses)

Moneda. El dólar se divide en 100 centavos.

Billetes: $1, $2 (poco común), $5, $10, $20, $50 y $100. En general las denominaciones de mayor valor no se encuentran en circulación. Todos los billetes, excepto los nuevos de $100, son del mismo tamaño y color, así que tenga cuidado de no confundirlos.

Monedas: 1¢ (llamada "penny"), 5¢ ("nickel"), 10¢ ("dime"), 25¢ ("quarter"), 50¢ ("half dollar") y $1. Sólo las cuatro primeras se usan comúnmente. Al recibir el cambio es posible que le den, sin que se dé cuenta, monedas canadienses o de otros países. Las monedas canadienses valen alrededor de 15% menos que las estadounidenses y no funcionan en las máquinas automáticas, como los teléfonos.

Bancos y casas de cambio. El horario de atención de los bancos normalmente es de lunes a viernes de 9:00 a.m. a 2:00 ó 3:00 p.m., pero tenga en cuenta que muy pocos bancos cambian monedas extranjeras. Los bancos de Walt Disney World constituyen una notable excepción. Es posible que hasta en las principales ciudades, haya sólo una ventanilla en un banco para cambiar moneda extranjera. En Estados Unidos, los recepcionistas de los hoteles desconfían de los billetes extranjeros y es posible que ofrezcan una tasa de cambio baja (así que tenga presente la tasa exacta antes de cambiar dinero). Es más fácil llevar cheques de viajero en dólares estadounidenses, tarjetas de crédito conocidas y algo de efectivo en dólares.

Al cambiar dinero o cheques de viajero, pida billetes de $20, los que se aceptan en todas partes, ya que algunos establecimientos rechazan billetes más grandes a menos que sean casi iguales a la cantidad a pagar. De hecho, parece que los billetes de $100 circulan más fuera que dentro de Estados Unidos, incluidas las falsificaciones.

Tarjetas de crédito. Al ir de compras o al pagar las cuentas de hotel, le preguntarán: "Cash or charge?", lo que significa que usted puede elegir entre pagar en efectivo o con tarjeta de crédito. Los negocios son cauteloso con las tarjetas poco conocidas, pero la mayoría acepta las principales tarjetas estadounidenses o internacionales. A menudo se le exigirá algún tipo de identificación al pagar su compra con tarjeta de crédito.

Muchas estaciones de servicio y otras tiendas no aceptan dinero durante la noche, sólo tarjetas. En ocasiones resulta imposible arrendar vehículos y pagar las cuentas en efectivo fuera del horario normal de oficina.

Cheques de viajero Son más seguros que el efectivo. Pueden cambiarse rápidamente mientras sean en dólares estadounidenses. En los bancos normalmente se exige que presente su pasaporte u otra forma de documento de identidad ("ID"), pero en muchos hoteles, tiendas y restaurantes los aceptan directamente en reemplazo del efectivo, en especial aquéllos emitidos por bancos de Estados Unidos. Cambie sólo cantidades pequeñas cada vez: en lo posible, mantenga el resto de sus cheques en la caja de seguridad del hotel y anote los números de serie y dónde y cuándo usó cada uno de los cheques.

Precios. La mayoría de los precios anunciados no incluye el impuesto estatal a las ventas de un 6.5%, el cual se agrega al pagar. Lo mismo rige para la cuenta del hotel, la que puede aumentar aún más con los impuestos locales.

Los precios varían considerablemente en Estados Unidos. Para encontrar artículos a precios moderados, visite las grandes tiendas de departamentos o de descuentos. Las pequeñas tiendas independientes de abarrotes, las farmacias y los "convenience stores" que atienden las 24 horas, tienen precios entre 10 y 70% superiores a los de los supermercados, pero las estaciones de servicio independientes son más baratas que las de las grandes compañías petroleras.

PLANIFICACION DE SU PRESUPUESTO

A modo de referencia, a continuación se entrega una lista de los precios promedio. Sin embargo, se deben considerar como una pauta general, ya que la inflación los hace subir gradualmente. Estos precios están en dólares estadounidenses.

Transporte al aeropuerto. Taxi desde el Miami International Airport al centro de Miami, $22; a Miami Beach, hasta $27. Super Shuttle, de $10 a $20, según el destino.

Taxi desde el Orlando International Airport hasta International Drive $25, minibús, $15; a Walt Disney World, $38, minibús, de $12 a $15.

Niñeras. Entre $4 y $5 por uno o dos niños, más gastos de transporte. Los hoteles cobran entre $6 y $8 por hora.

Arriendo de bicicletas. $3 por hora; $5 a $15 por día; $20 a $35 por semana.

Sitios para acampar. $8 a $35 al día, por sitio.

Arriendo de vehículos. Los precios varían mucho según la compañía y la estación del año y según el seguro que se incluya (ver página 105). Un precio normal para un vehículo de tamaño mediano, sin límite de kilometraje, con seguro completo y en temporada alta podría ser de $36 al día, $169 a la semana.

Cigarrillos. Paquete de 20: Estadounidenses, $2; las marcas extranjeras son más caras.

Buceo. Medio día desde un bote con equipo, $57; escuela de buceo, $100 al día.

Espectáculos. Cine, de $4 a $8.50; club nocturno/discoteca consumo mínimo de $5 a $20, de $4 a $6 los cócteles; espectáculo con cena, de $30 a $75.

Golf. $25 a $80 (incluido el carro).

Peluquerías. Corte para hombres, de $7 a $25; corte para damas, de $10 a $25; corte, lavado y peinado, $17 a $50; teñido, de $20 a $60.

Hoteles. Habitación doble con baño: de lujo, desde $120; de precio medio de $80 a $120; económicas, de $40 a $60. Moteles de $40 a $75. Existen grandes variaciones según la temporada.

Lavandería. Camisas $1.50; blusas $3.75.

Lavado en seco. Chaquetas, desde $4.50; pantalones, desde $2.50; vestidos, desde $6.

Comidas y bebidas. Desayuno continental de $4 a $6; desayuno completo de $6 a $10; almuerzo en una cafetería de $5 a $10; almuerzo en un

La Florida

restaurante de $8 a $14; cena de $15 a $30 (más con show); plato de comida rápida de $3 a $5; café $1; cerveza de $2.50 a $3.50; vaso de vino de $3 a $5; jarro de $6 a $10; botella de $10 a $20; coctel de $4 a $6.

Museos. $4 a $10.

Gasolina. $1.10 por galón estadounidense (aprox. 4 litros).

Paseos en aerobote por los pantanos. $5 a $8 (45 minutos); barco con fondo de vidrio, $14.

Taxis. En Miami los taxímetros comienzan en $1.25 y luego marcan $1.75 por milla.

Parques temáticos. Busch Gardens $34.95; Kennedy Space Center gratis, giras en bus $7; estudios IMAX $4; Parrot Jungle $10.50; Sea World $39.95; Wet 'n' Wild $24.95; Estudios Universal $38.50.

Walt Disney World: boleto por un día (Reino Mágico o Estudios Disney-MGM o EPCOT Center), adultos $38.50, niños de 3 a 9 años $31; Super Pass para cuatro días (todos los parques), adultos $132, niños $103.50; World-Hopper Pass para cinco días (todos los parques y otras instalaciones), adultos $196, niños $157.

ATENCIÓN MÉDICA (*ver también* EMERGENCIAS)

Los extranjeros deben tener presente que en Estados Unidos no se otorgan servicios médicos gratuitos y que los tratamientos son caros. Por lo tanto, deben hacerse arreglos con antelación para contar con un seguro de salud temporal (a través de una agencia de viajes o de una compañía de seguros).

Las clínicas "Health-First" ofrecen tratamientos menos onerosos que los médicos privados. Las salas de emergencia de los hospitales tratan a todo el que necesite atención rápida, incluida la hospitalización en una sala común. Si llega a la Florida luego de volar por varios husos horarios, tómelo con calma los dos primeros días. Los doctores recomiendan que los visitantes al principio coman en forma ligera y descansen bastante.

Tenga cuidado con el sol fuerte. Comience con una pantalla o bloqueador solar con un factor de protección alto (20 o más) y vaya adquiriendo un tono bronceado en forma gradual. Beba abundante agua. Resulta demasiado fácil deshidratarse; los síntomas son dolores de cabeza y fatiga.

Algunos turistas extranjeros se darán cuenta de que algunas medicinas que en sus países de origen se venden en el mostrador, en Estados Unidos sólo se pueden comprar con receta médica. No hay escasez de drugstores, o farmacias; algunas permanecen abiertas hasta tarde en la noche.

BAÑOS

Puede conseguir baños en restaurantes, estaciones de trenes y grandes tiendas, además en los hoteles y restaurantes. En algunos lugares, se debe depositar una moneda; en otros, puede dejar una propina para el encargado, si es que hay alguno.

Para indicar el baño, los estadounidenses usan los términos "restroom", "powder room", "bathroom" (privado) y "ladies" o "men's room".

CAMPING

Acampar en Estados Unidos implica por lo general viajar en vehículos recreacionales (RVs): remolques, caravanas. Si piensa acampar al estilo de Estados Unidos, la guía de *Rand McNally Campground* y *Trailer Park* o la voluminosa *Woodalls* enumeran y evalúan los campamentos de acuerdo con sus instalaciones. (Un lugar para acampar en Estados Unidos significa el sitio exacto donde poner su RV o carpa). La *Florida State Parks Guide*, mapa de todos los excelentes parques estatales y de las áreas recreacionales estatales con instalaciones para acampar, se puede encontrar en:

The Florida Department of Natural Resources
Bureau of Education and Information
3900 Commonwealth Boulevard
Tallahassee, FL 32399-3000

En todos los parques estatales, la estadía está limitada a dos semanas. Para evitar desilusiones, reserve anticipadamente un lugar por teléfono.

Es ilegal y poco seguro acampar junto al camino, o en un terreno privado sin autorización.

CLIMA

Durante la mayor parte del año, las condiciones meteorológicas de la Florida fluctúan de cálidas a calurosas, pero las costas reciben la agradable brisa marina. La temporada alta es en invierno, cuando las temperaturas y las lluvias están en su nivel más bajo. Puede haber un período breve de tiempo frío, pero no lo bastante como para interferir con la natación y el bronceado. De junio a octubre es caluroso y húmedo y hay algo de lluvia casi todos los días, aunque pocas veces tan persistente como para ser problemático.

Algunos folletos turísticos presumen de que nunca será necesario usar ropa abrigada, incluso en pleno invierno, pero la prudencia sugiere lo contrario. En invierno, a veces hay mucho viento en las playas del Atlántico, algunos días de lluvia y períodos de frío. También en el sur las temperaturas pueden bajar hasta cerca de los 0°C por períodos cortos, aunque en muchos días invernales se llega a temperaturas cercanas a los 27°C, en especial en el sur de la Florida y en los cayos.

Casi nunca hay huracanes. En promedio, la Florida se ve azotado por un huracán una vez cada siete años y sólo entre junio y noviembre, por lo que las probabilidades de que esté en el lugar equivocado y en el momento equivocado son mínimas.

Promedio de temperaturas diarias para Miami:

Temperaturas Promedio

	E	F	M	A	M	J	J	A	S	O	N	D
°C	21	21	22	24	26	27	28	29	27	26	23	21
°F	69	70	71	74	78	81	82	84	81	78	73	70

CÓMO LLEGAR a la FLORIDA

Debido a que las tarifas y las condiciones cambian con frecuencia, es aconsejable consultar la información más reciente con los agentes de viajes.

DESDE AMÉRICA DEL NORTE

Por aire: Miami, Fort Lauderdale, West Palm Beach, Orlando (el aeropuerto más cercano a Walt Disney World), Tampa, St. Petersburg y Sarasota son fácilmente accesibles desde las ciudades más grandes de Estados Unidos, con muchos vuelos sin escalas todos los días a los principales centros .

Por autobús: Los destinos de la Florida están unidos a todos los centros principales por Greyhound, que se ha fusionado con su antiguo y principal rival, Trailways.

Por ferrocarril: Amtrak promociona una gran variedad de tarifas especiales, incluidas las tarifas Excursion y Family y los paquetes turísticos con hotel y guía incluidos. Cuenta con un tren de transporte de vehículos entre Lorton, cerca de Washington D.C., y Sanford, cerca de Orlando.

En automóvil: Los viajeros que vienen por la costa este pueden tomar la I-95 vía Washington y Savannah. La ruta más corta desde el oeste es la I-10, pasando por Tucson, El Paso, Houston y Mobile.

DESDE EL REINO UNIDO.

Por aire: Hay varios vuelos sin escalas desde Heathrow y Gatwick a Miami, como también a Orlando.

DESDE OTRAS CIUDADES EUROPEAS

Existen vuelos sin escalas desde Francfort a Orlando y Miami, desde Amsterdam a Orlando y desde París, Madrid, Helsinki, Shannon, Düsseldorf, Colonia, Munich, Roma y Milán a Miami. Hay muchos vuelos de una escala desde otros puntos.

Las tarifas disponibles incluyen primera clase, económica, Excursion, APEX (Advance Purchase Excursion), Super-APEX y "ofertas de boletos" especiales, disponibles a través de su agente de viajes. En general, mientras antes reserve, menor será la tarifa, excepto en el caso de las tarifas en espera, que sólo se aplican en ciertos períodos del año. Algunas líneas aéreas estadounidenses ofrecen descuentos a los pasajeros del extranjero en los vuelos nacionales o boletos con viajes ilimitados y tarifa fija durante períodos específicos.

Vuelos contratados y paquetes turísticos. En la mayoría de los vuelos contratados la reserva debe hacerse y pagarse con bastante anticipación. Se dispone de muchos viajes organizados: vacaciones en caravanas, giras en tren, excursiones a Walt Disney World o a las Bahamas, viajes a otras ciudades y sitios de interés de Estados Unidos, etc. La mayoría de los cruceros al Caribe zarpan de los puertos de la Florida.

Algunos planes vacacionales con dos destinos reparten el tiempo entre Orlando y una de las playas (costa este u oeste). Otras combinaciones ofrecen un breve crucero o unos días en una isla del Caribe.

Equipaje. Puede registrar, gratis, dos maletas de tamaño normal. También puede llevar a bordo un equipaje de mano que quepa bajo el asiento del avión. Confirme las restricciones de tamaño y de peso con su agente de viajes o línea aérea, antes de reservar su boleto.

Se recomienda asegurar todo el equipaje durante el viaje, de preferencia como parte de una póliza general de seguro de viaje. Esto se puede conseguir en cualquier agencia de viajes.

CONDUCCIÓN

Conduzca por la derecha. En la Florida está permitido doblar a la derecha luego de detenerse en una luz roja, siempre que no vengan otros vehículos cruzando, se haya dado el paso a los peatones y no haya señales que lo impidan. Nunca conduzca en la noche sin los focos delanteros encendidos: está estrictamente prohibido. Encienda también los focos delanteros cuando llueva lo suficiente como para que sea necesario usar los limpiaparabrisas. Se deben usar los cinturones de seguridad en los asientos delanteros y se debe portar la licencia de conducir.

La disciplina respecto de las sendas difiere de las normas de otros países. Los conductores estadounidenses tienden a quedarse en una senda, sin hacer distinción entre las sendas rápidas y "lentas", excepto, hasta cierto punto, en la red interestatal. Por lo tanto, podrían adelantarlo por cualquier lado, así que no cambie de senda sin asegurarse antes. En áreas pobladas, la senda central es por lo general sólo para doblar a la izquierda.

Cuando beba, no conduzca. Si conduce en estado de embriaguez lo pueden encarcelar.

Autopistas de alta velocidad (Expressways). En las autopistas de alta velocidad con doble calzada llamadas expressways, la conducción obedece ciertas reglas. En lugar de acelerar por la rampa para igualar la velocidad de tránsito, debe detenerse en la parte superior de la rampa y esperar el momento para ingresar a la pista. En las autopistas rige un límite de velocidad nacional de 88 km/h (55 mph), excepto en las expressways de las zonas rurales, en donde el límite es de 105 km/h (65 mph). Otros límites, como el de 72 km/h (45 mph), se aplica donde se indica. Si usted se mantiene a la velocidad de circulación del tránsito, no tendrá problemas, pero si va más rápido, es posible que lo detenga una patrulla.

Si su vehículo se avería en una expressway, deténgase en la cuneta de la derecha, ate un pañuelo en la manilla de la puerta o en la antena de radio, levante la capota y espere ayuda dentro del vehículo. De noche, use las luces de emergencia.

Peajes. En la Florida, los peajes se cobran en las carreteras, en muchos puentes y carreteras elevadas. Mantenga una reserva de monedas cuando viaje; la mayor parte de las zonas de peaje tienen un canastillo en el que se deja caer el valor exacto, así que no hay espera.

Combustible y servicios. Las estaciones de servicio de la Florida cuentan con bombas de autoservicio y de servicio completo; en estas últimas, el combustible es mucho más caro. Ofrecen octanaje **regular** (convencional), **super** (medio) y **premium** (de primera calidad); el convencional es adecuado para la mayoría de los vehículos de alquiler. En algunas áreas es necesario pagar con anticipación, en especial de noche. Algunas bombas funcionan insertando una tarjeta de crédito (se aceptan las principales tarjetas de crédito internacionales). Tenga presente que muchas gasolineras cierran por la noche y los domingos.

La mayoría de los vehículos de alquiler de la Florida están equipados con aire acondicionado; si a su vehículo se le está acabando el combustible o se está sobrecalentando, apáguelo. Se fuerza mucho el motor.

Estacionamiento. Las atracciones famosas de la Florida normalmente tienen estacionamientos grandes y económicos (rara veces gratuitos). La mayoría de los estacionamientos municipales tienen parquímetros; siempre se indican las monedas necesarias y el tiempo de funcionamiento. Los espacios en la calles están señalados por líneas blancas pintadas en el pavimento. Su vehículo debe apuntar en la dirección del flujo del tránsito o estacione aculatado donde se indica que el estacionamiento es en ángulo (los vehículos de la Florida no tienen placa en la parte delantera). No se estacione junto a un grifo de incendios o a una cuneta pintada de amarillo o rojo.

Orientación. Trate de conseguir ayuda al planificar su ruta, si no conoce el área a la que se dirige. No suponga que si encuentra el número, calle, avenida o camino correctos, puede seguir hacia su destino. Podría llegar a una calle sin salida o pasar por lugares indeseables. Las expressways son normalmente la forma más rápida de cruzar las grandes ciudades.

Tenga presente que los números son por lo general pares en las rutas este-oeste e impares en las rutas norte-sur.

La **American Automobile Association** ofrece asistencia a los miembros de organizaciones afiliadas del extranjero. También proporciona información de viaje en Estados Unidos y puede conseguir seguros automovilísticos por un mes a los conductores propietarios. Comuníquese con la AAA en 1000 AAA Drive, Heathrow, FL 32746-5063; tel. (407) 444-7000.

Señalización de carreteras. Si bien en Estados Unidos se ha comenzado a adoptar las señales camineras internacionales, el avance es gradual. Algunos de los términos utilizados pueden ser desconocidos o confusos.

La Florida

Detour	Desvío
Divided highway	Carretera de doble senda
No passing	No rebasar
Railroad crossing	Cruce ferroviario
Traffic circle	Rotonda
Yield	Ceda el paso

D

DELITOS (*ver también* EMERGENCIAS).

Comprar y vender drogas ilegales es una falta grave. La Florida cuenta con una gran fuerza de agentes secretos (policía de civil) que luchan por mantener la droga a raya.

La mayoría de los hoteles cuenta con una caja de seguridad para los objetos valiosos. Nunca deje dinero, tarjetas de crédito, talonarios de cheques, etc., en la habitación de un hotel, sino que en la caja de seguridad.

En Miami, tenga cuidado con los carteristas en los autobuses de la ciudad, en las filas, en las tiendas con mucha gente y en los ascensores. La policía de Miami le aconseja conducir con las ventanillas cerradas y con las puertas con seguro, especialmente en áreas con gran cantidad de semáforos. Los ladrones pueden simular un accidente o decirle que hay algo malo en su vehículo para hacer que se detenga. Todas sus pertenencias deben ir en el maletero del vehículo mientras conduce.

Desgraciadamente en el área de Miami están aumentando los delitos con violencia. Al llegar la noche, salga en grupos, nunca solo, y evite llevar grandes cantidades de dinero en efectivo u objetos valiosos. Deje su vehículo con el cuidador del restaurante, club nocturno o discoteca en vez de estacionarlo usted mismo en una calle secundaria mal iluminada. Use el sentido común normal y evite ciertas áreas, en particular Liberty City en la zona noroeste de Miami. Evite salir por la noche a conocer los lugares de interés del centro de Miami, ya que es fácil perderse.

DIFERENCIAS de HORA

Estados Unidos continental tiene cuatro husos horarios; la Florida (al igual que la ciudad de Nueva York) se encuentra en la zona de la Hora de la Costa Atlántica. Entre abril y octubre, se adopta el Horario de ahorro de energía y los relojes se adelantan una hora. En el siguiente cuadro se muestran los horarios de invierno en algunas ciudades mientras en la

Florida es mediodía:

Los Ángeles	Miami	Londres	Santiago
9:00 a.m.	**mediodía**	5:00 p.m.	mediodía
Domingo	**Domingo**	Domingo	Domingo

E

ELECTRICIDAD

En Estados Unidos se usa C.A. de 110 a 115 voltios y 60 ciclos.   Los enchufes son pequeños, planos y con dos o tres patas; los extranjeros necesitan un adaptador para las afeitadoras, etc.

EMBAJADAS y CONSULADOS

Consulado de Chile. 800 Brickel Ave. Suite 1230, Miami Florida 33131, 1-305-3738623/8624/4446, Fax. 1-305-3796613

Consulado de Brasil. 2601 S Bay Shore Drive, Suite 800 Miami Florida, 01305-2856200

Consulado de Colombia.   280 Aragon Avenue.Coral Gables Florida 33134, 1-305-4411235/4445084, Fax. 1-305-4419537

Consulado de Paraguay. 300 Biscayne Boulevard WAY Suite 907-A Miami Florida, 3749090, Fax:3745522

Consulado de Venezuela.   1101 Brickel Ave. Suite 901 Edificio del Banco Industrial Miami Florida 33131, 446-2851/2918, Fax: 4485699

Consulado de Panamá. 55 N.E. 34st. Apt. 1006 Miami Florida, 1-305-576-0502/2780

EMERGENCIAS (*ver también* ATENCIÓN MÉDICA y POLICÍA).

Marque el 911 y la operadora le preguntará si necesita a la policía, una ambulancia o al departamento de bomberos.

Si necesita un médico o un dentista, todas las ciudades y pueblos cuentan con un número que funciona las 24 horas en caso de emergencia.   Para pedir un médico en el área de Miami, llame al 324-8717.   Para un dentista, el número es el 667-3647.

F

FERIADOS

Si algún feriado, como Navidad, cae en día domingo, los bancos y la mayoría de las tiendas cierran al día siguiente.   En los fines de

semana largos (como el siguiente al Día de Acción de Gracias), las
oficinas cierran por cuatro días. Sin embargo, muchos restaurantes
no cierran nunca, incluso en Navidad.

Día de Año Nuevo	**1º de enero**
Día de Martin Luther King	**Tercer lunes de enero**
Natalicio de Washington	**Tercer lunes de febrero**
Día de Recordación	**Último lunes de mayo**
Día de la Independencia	**4 de julio**
Día del Trabajo	**Primer lunes de septiembre**
Día de la Raza	**Segundo lunes de octubre**
Día del Armisticio	**11 de noviembre**
Día de Acción de Gracias	**Cuarto jueves de noviembre**
Navidad	**25 de diciembre**

FLORIDA para los NIÑOS

No debería haber problemas para mantener felices a los niños, ya sea en
los muchos y variados parques temáticos o en las playas (en la costa del
Golfo generalmente las aguas son más tranquilas, las playas arenosas son
seguras y con una suave inclinación). La mayoría de los hoteles y
muchos moteles tienen piscinas. El sol, el calor y la humedad cobran su
precio, en especial en la forma de deshidratación, así es que asegúrese de
que sus niños beban en abundancia. Los restaurantes de Estados Unidos
están acostumbrados a prestar servicios a niños de todas las edades, pero
cuando quiera salir, los grandes hoteles pueden conseguirle una niñera.

FOTOGRAFÍA y VIDEO

Las tiendas de fotografía venden rollos de película, pero los drugstores
y los supermercados suministran los mismos artículos a precios rebaja-
dos. Espere hasta llegar a su país para revelar las películas de diapositivas, ya que esto puede demorar más de lo que piensa. No guarde los rollos en el vehículo: podría hacer tanto calor que se dañaría la película.

Las máquinas de rayos X no dañan a las películas normales, ya sea
que se hayan expuesto o no se hayan utilizado. Las películas de alta
velocidad se pueden dañar, por lo que es necesario solicitar una
inspección aparte.

Se puede encontrar cintas de video para todo tipo de cámaras. Tenga
presente que las cintas pregrabadas adquiridas en Estados Unidos
podrían no funcionar en los sistemas europeos (y viceversa), a menos
que el equipo tenga funciones especiales. Lo mismo es válido para las
cámaras de video que se pueden arrendar en algunas de las atracciones.

Las cintas se pueden convertir, pero sólo a un costo considerable.

FUMADORES

Está prohibido fumar en muchos edificios públicos y lugares de diversión como los paseos, los juegos mecánicos y las zonas de espera de los parques temáticos. La mayor parte de los restaurantes cuenta con áreas para fumadores y para no fumadores: le preguntarán cuál prefiere. Algunos restaurantes no permiten fumar en absoluto. Muchos hoteles disponen de habitaciones para no fumadores.

G

GUÍAS y EXCURSIONES GUIADAS

Algunos de los centros más grandes tienen servicios de guías. En el Reino Mágico de Walt Disney World, por ejemplo, pregunte en el Town Hall. Hay guías en idiomas extranjeros para guiar a los visitantes en una rápida visita, que incluye una variedad de diversiones mecánicas.

En la mayoría de las ciudades y centros turísticos hay giras a los sitios de interés en autobús o en "tram". No se recomienda tomar giras en autobús por un día desde Miami a Disney World, ya que no queda mucho tiempo una vez que se llega al destino.

Los cruceros de placer operan desde muchos balnearios, recorren la costa, ensenadas, lagos, ríos y pantanos; algunos sirven comidas a bordo o se detienen en un restaurante. Miami y Miami Beach cuentan con una gran variedad de giras y cruceros hacia el norte y el sur por la costa. En Key Largo se puede tomar un barco con fondo de vidrio para ver los arrecifes de coral. También existen giras y cruceros en Fort Lauderdale, West Palm Beach, St. Petersburg, Sarasota, Naples, Tarpon Springs y Key West.

H

HORARIOS de ATENCIÓN

La mayoría de las tiendas y negocios están abiertos de las 8:00 ó 9:00 a.m. (las tiendas más grandes de las 9:30 ó 10:00 a.m.) a las 5:00 ó 6:00 p.m. Algunas tiendas y restaurantes de cadenas no cierran nunca. Los restaurantes pequeños normalmente abren a las 6 a.m. y cierran cerca de las 11:00 p.m.

Los siguientes son los horarios de atención de los lugares que se

mencionan en esta guía. Sin embargo, vale la pena llamar antes por
teléfono para verificar. En muchos casos, los horarios de atención se
prolongan durante los períodos de vacaciones.

Miami

Ancient Spanish Monastery.
   De lunes a sábado, de las 10:00 a.m. a las 4:00 p.m.
   Domingo, desde las 12:00 del mediodía a las 4:30 p.m.

Bass Museum of Art.
   De martes a sábado, de las 10:00 a.m. a las 5:00 p.m.
   Domingo, desde la 1:00 p.m. hasta las 5:00 p.m.
   El segundo y el cuarto miércoles de cada mes, desde la
   1:00 p.m. a las 9:00 p.m.

Fairchild Tropical Garden.
   Todos los días, de las 9:30 a.m. a las 4:30 p.m.

Lowe Art Museum.
   De martes a sábado, de las 10:00 a.m. a las 5:00 p.m.
   Domingo, desde la 1:00 p.m. hasta las 5:00 p.m.

Metro-Dade Cultural Center.
   Lunes y martes, de las 10:00 a.m. a las 5:00 p.m.
   (excepto los jueves, de las 10:00 a.m. a las 9:00 p.m.).
   Domingo, desde las 12:00 del mediodía a las 5:00 p.m.

Metrozoo. Todos los días, de las 9:30 a.m. a las 5:30 p.m.;
   la boletería cierra a las 4:00 p.m.

Monkey Jungle. Todos los días, de las 9:30 a.m. a las 5:00 p.m.

Museum of Science and Planetarium. Todos los días,
   de las 10:00 a.m. a las 6:00 p.m.

Parrot Jungle. Todos los días, de las 9:30 a.m. a las 6:00 p.m.

Seaquarium. Todos los días, de las 9:30 a.m. a las 6:00 p.m.
   La boletería cierra a las 4:30 p.m.

Vizcaya. Todos los días, de las 9:30 a.m. a las 4:30 p.m. Cerrado el
   día de Navidad.

Fort Lauderdale

Ocean World. Todos los días, de las 10:00 a.m. a las 6:00 p.m.; la
boletería cierra a las 4:30 p.m.

Fort Myers

Edison Winter Home. De lunes a sábado, de las 9:00 a.m. a las 3:30 p.m.
   Domingo, de las 12:30 p.m. a las 3:30 p.m. Cerrado el Día de
   Acción de Gracias (cuarto jueves de noviembre) y en Navidad.

Kennedy Space Center
>Todos los días, de las 9:00 a.m. al anochecer. La última gira en autobús es a las 4:30 p.m. Cerrado en Navidad.

Key West
Casa de Ernest Hemingway. Todos los días, de las 9:00 a.m. a las 5:00 p.m.

Faro de Key West. Todos los días, de las 9:30 a.m. a las 5:00 p.m.

Truman Little White House. Todos los días, de las 9:00 a.m. a las 5:00 p.m.

Orlando
Sea World. Todos los días, de las 9:00 a.m. a las 7:00 p.m. Horario ampliado en temporada alta.

Estudios Universal. De las 9:00 a.m. a las 11:00 p.m. El horario varía según la temporada.

Walt Disney World. Diversiones mecánicas y atracciones abiertas todos los días desde las 9:00 a.m., pero vale la pena llegar cerca de las 8:30 a.m. El horario de cierre varía de parque a parque y de temporada a temporada, entre las 7:00 p.m. y las 11:00 p.m.

Wet "n" Wild. Todos los días, de las 10:00 a.m. a las 5:00 p.m. en primavera y otoño, de las 9:00 a.m. a las 10:00 u 11:00 p.m. en verano. El horario varía según la temporada.

Palm Beach/West Palm Beach
Flagler Museum. De martes a sábado, de las 10:00 a.m. a las 5:00 p.m. Domingo, desde las 12:00 del mediodía a las 5:00 p.m.

Lion Country Safari. Todos los días, de las 9:30 a.m. a las 5:30 p.m. La puerta se cierra a las 4:30 p.m.

Norton Gallery of Art. Martes a sábado de las 10:00 a.m a las 5:00 p.m. Domingo, desde la 1:00 p.m. hasta las 5:00 p.m.

St. Augustine
Castillo de San Marcos. Todos los días, de las 8:45 a.m. a las 4:45 p.m. Cerrado en Navidad.

St. Petersburg
Museo de Bellas Artes. De martes a sábado, de las 10:00 a.m. a las 5:00 p.m. Domingo, desde la 1:00 p.m. hasta las 5:00 p.m. El tercer jueves del mes, abierto hasta las 9:00 p.m.

Museo de Salvador Dalí. De martes a sábado, de las 9:30 a.m. a las 5:30 p.m. Domingo, desde la 1:00 p.m. hasta las 5:00 p.m.

La Florida

Sarasota
Bellm's Cars and Music of Yesterday. Todos los días, de las 9:30 a.m. a las 5:30 p.m.

Ringling Museum Complex. Todos los días, de las 10:00 a.m. a las 5:30 p.m.

Tampa
Busch Gardens. Todos los días, de las 9:30 a.m. a las 6:00 p.m. Horario ampliado en verano y en período de vacaciones.

Winter Haven
Cypress Gardens. Todos los días, de las 9:30 a.m. a las 5:30 p.m. (ocasionalmente hay horarios ampliados).

I

IDIOMA

Miami es prácticamente una ciudad bilingüe y tal ha sido la influencia de los refugiados, principalmente cubanos, que usted escuchará tanto español como inglés.

Inglés	Español	Inglés	Español
admission	**valor de la entrada**	liquor store	**licorería**
bathroom	**baño**	minister	**ministro**
bill	**billete**	no admission	**entrada gratuita**
billfold	**billetera**	purse	**cartera**
check	**cuenta**	rest room	**baño**
collect call	**llamada con cobro revertido**	round-trip ticket	**pasaje de ida y vuelta**
		second floor	**primer piso**
elevator	**ascensor**	sidewalk	**vereda, acera**
first floor	**planta baja**	stand in line	**haga fila**
gas	**gasolina**	trailer	**caravana**
liquor	**licores**	underpass	**paso inferior**

L

LAVANDERÍA y LAVADO en SECO

La mayoría de los hoteles más grandes ofrecen estos servicios, con un cobro. Algunos hoteles tienen máquinas lavadoras y secadoras que funcionan con monedas.

M

MAPAS

Se entregan mapas en las estaciones de bienvenida de las principales autopistas y puertos de entrada, y la cámara de comercio local o la autoridad turística le entregará o venderá mapas en que aparecen destacados los lugares de interés. Las estaciones de servicio venden mapas en las máquinas especializadas, además le facilitarán mapas bastante buenos al arrendar un vehículo. Los mapas de este libro fueron preparados por Falk-Verlag.

N

NORMAS de CORTESÍA

Muchos estadounidenses son muy educados y dicen "sir" (señor) y "ma'am" (señora) a los extraños y al personal de servicio. Curiosamente las peticiones consisten a menudo en un "gimme" (déme) y un "I need" (necesito) sin un "please" (por favor). "Thank you" siempre recibe como respuesta un "you're welcome" (de nada) (o "you're quite welcome", con "quite" en el sentido de "very").

O

OBJETOS PERDIDOS

En los terminales aéreos, de trenes y de autobuses y en muchas tiendas existen áreas especiales de "lost and found" (objetos perdidos). Los restaurantes guardan los objetos perdidos con la esperanza de que alguien los reclame. Si el objeto que ha extraviado es de valor, llame a la policía. Si pierde su pasaporte, póngase inmediatamente en contacto con su consulado.

OFICINAS de CORREOS

El servicio postal de Estados Unidos está a cargo sólo de la correspondencia; otras compañías administran los servicios de teléfonos y de telégrafos Coloque sus cartas en los buzones azules ubicados en la vereda. Después de la hora del cierre, puede comprar estampillas en las máquinas que hay a la entrada de las oficinas de correos. Las estampillas que se compran en las máquinas de los hoteles y las tiendas valen mucho más que el valor nominal.

La Florida

El **horario de atención** de las oficinas de correos es de lunes a viernes de 8:00 a.m. a 5:00 p.m., los sábado de 8:00 a.m. a 12:00 p.m. En las ciudades más grandes hay una oficina que permanece abierta hasta más tarde, alrededor de las 9:00 p.m. más o menos.

Lista de correos (general delivery). Puede hacer que le envíen correspondencia con la indicación de "General Delivery" a la oficina principal de correos de cualquier pueblo. Las cartas se conservarán por no más de un mes. Lleve su licencia de conducir o pasaporte como identificación.

OFICINAS de INFORMACIÓN TURÍSTICA

Para obtener información antes de viajar, escriba a:

United States Travel & Tourism Administration
PO Box 1EN, London W1A 1EN
Tel. 071-495 4466, fax 071-495 4377

Florida Division of Tourism in Europe
1st floor, 18–24 Westbourne Grove
London W2 5RH
Tel. 071-243-8519

State of Florida Division of Tourism, Visitor Inquiries
126 W. Van Buren Street, Tallahassee, FL 32399-2000
Tel. (888) 735-2872

También se entrega información gratuita en las estaciones de bienvenida de los principales puntos de entrada al estado y en los hoteles, pero la mayor fuente de información turística en cualquier ciudad es la cámara de comercio local.

P

PERIÓDICOS y REVISTAS

Los periódicos locales y el *U.S.A. Today*, de circulación nacional diaria, se venden en los drugstores y en las máquinas expendedoras. Los puestos especiales de periódicos venden el *New York Times* y el *Wall Street Journal*, además de una gran variedad de otros periódicos. En Miami se imprimen dos periódicos de circulación diaria: el Miami Herald (*El Nuevo Herald*, en español) y el *Diario Las Américas*. El *Orlando Sentinel* brinda información sobre el centro de la Florida. Un periódico local lo pondrá en contacto con las noticias de la comunidad y con un listado de programas de televisión, horario de las atracciones, ofertas en supermercados, etc. La mayoría de las ciudades de la Florida tienen sus propias revistas con artículos sobre eventos. Busque en los hoteles las revistas gratuitas del tipo "What`s On" (por ejemplo, *Welcome to Miami and the Beaches*).

PESOS y MEDIDAS

Estados Unidos es uno de los pocos países que aún no han adoptado el sistema métrico y no planea hacerlo por ahora.

Longitud

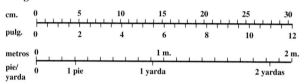

Peso

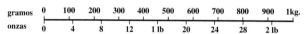

Temperatura

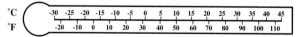

Medidas de líquidos

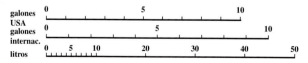

POLICÍA

La policía de la ciudad se encarga de la delincuencia local y de las infracciones de tránsito, mientras que los agentes de la Highway Patrol (también llamados State Troopers) se encargan de las seguridad en carreteras y vigilan a los conductores que conducen a exceso de velocidad o bajo la influencia del alcohol o de las drogas. En caso de emergencia, llame al 911 (bomberos, policía, ambulancia).

PROPINAS

El sueldo de los mozos y las meseras está constituido principalmente por las propinas; a menudo les pagan muy poco más. En los lugares de comida sencillos, normalmente se paga en la caja al salir, después de dejar una propina en la mesa. De lo contrario, puede incluir la propina en el comprobante de la tarjeta de crédito: siempre dejan espacio para ello. No se les da propina a los acomodadores de cine o teatro ni a los encargados de las estaciones de servicio.

Algunas sugerencias:

Guía	de 10 a15%
Peluquero/barbero	15%
Botones (por maleta)	de 50¢ a $1 (mínimo, $1)
Taxista	15%
Camarero	de 15 a 20% (a menos que el servicio esté incluido en la cuenta)

R

RADIO y TV

Un gran número de estaciones de radio AM y FM transmiten música pop, rock, country y western; la mayoría de las grandes ciudades también tiene una estación de música clásica.

Casi todas las habitaciones de hotel tiene un televisor que capta una gran cantidad de canales, algunos que transmiten las 24 horas del día. Las noticias locales comienzan alrededor de las 6 p.m., con noticias nacionales e internacionales desde Nueva York a las 6:30 ó 7:00 p.m. CNN transmite noticias durante todo el día.

RECLAMOS

Si tiene un reclamo serio sobre los procedimientos de algún local comercial y ha hablado sin resultados con el gerente del establecimiento en cuestión, puede comunicarse con:

Agriculture Department. Consumer Services Division, The Capitol, Tallahassee, FL 32301

RELIGIÓN

En los periódicos del sábado generalmente aparece una lista de los servicios religiosos del día siguiente, con detalles de los pastores invitados. Además de las iglesias católica, episcopal, presbiteriana y metodista, existen muchas denominaciones fundamentalistas y bautistas del sur. En Miami Beach y a lo largo de la Costa de Oro (Gold Coast) hay un sinnúmero de sinagogas y al menos una en todos los pueblos principales.

T

TELÉFONOS

Las compañías de teléfonos estadounidenses son eficientes y confiables. Las instrucciones para marcar siempre aparecen junto a los teléfonos públicos.

Llamadas locales. Levante el auricular, deposite 25¢ en la ranura, espere el tono de marcar y luego marque el número de siete dígitos. El operador le informará automáticamente sobre cualquier cobro adicional, de modo que tenga listas algunas monedas. Para hacer consultas de la guía local, marque el 41. Para obtener asistencia del operador local y asistencia en el mismo código de área, marque el 0.

Las **llamadas de larga distancia** se pueden realizar directamente desde un teléfono público si sigue las instrucciones que hay junto al teléfono. Por lo general, el prefijo 1 se debe marcar antes del número. Si no sabe el código de área correcto, marque 0 para pedir asistencia al operador. Las llamadas de larga distancia son más caras desde un teléfono público que desde uno privado. Para realizar llamadas internacionales de discado directo debe marcarse el prefijo 011 y luego el código del país.

La Florida

Las tarifas telefónicas aparecen en la introducción de las páginas blancas de la guía de teléfonos, junto con información sobre llamadas personales (person-to-person), con cobro revertido (collect) y con tarjeta de crédito. Algunas compañías de teléfonos ya no aceptan las principales tarjetas de crédito. Todas las llamadas a los números que comienzan con 800 son gratuitas.

Fax. Se puede enviar fax desde muchos hoteles y desde las agencias de servicios para oficinas que hay en algunos centros comerciales.

Telegramas. Las compañías de telégrafos estadounidenses ofrecen servicios nacionales e internacionales, además de servicios de télex, y aparecen en las páginas amarillas. Se puede llamar a la oficina de telégrafos, dictar el mensaje y hacer que le carguen el valor a su cuenta de hotel, o dictarlo desde un teléfono que funciona con monedas y pagar en el momento. Un telegrama nocturno (night letter) vale cerca de la mitad que un telegrama normal. Tenga en cuenta que si el país de destino no cuenta con servicio de telegramas, su mensaje se entregará por correo normal.

TRÁMITES DE INGRESO Y ADUANAS

Los canadienses sólo precisan prueba de nacionalidad para ingresar a EE.UU. Los ciudadanos del Reino Unido y de la mayoría de los países de Europa necesitan pasaporte y una exención llamada "visa waiver" aunque deben llamar a su agente de viajes o consulado de EE.UU. pues los reglamentos llegan a ser complicados y cambiantes. El trámite para los latinoamericanos, excepto los argentinos, puede ser largo y difícil, depende de circunstancias personales. Cuando solicite la visa deberá suministra pruebas de que pretende regresar a su país de origen sin permanecer en EE.UU.

Un no residente puede traer a EE.UU., sin pago de arbitrios ni impuestos, artículos hasta el monto de $100 como regalos para otras personas.

Esta exención es valida sólo si los regalos los porta usted mismo, si va a permanecer 72 horas o más y si no ha aprovechado esta exención en los 6 meses anteriores. Se puede incluir 100 puros como parte de la exención por regalos, pero los puros cubanos están prohibidos y pueden ser decomisados.

Plantas y alimentos también son controlados estrictamente; visitantes del extranjero no pueden importar frutas, verduras ni carne.

Lo mismo aplica a chocolates con licor dentro.

Los pasajeros al llegar o al salir deben declarar toda suma de efectivo o cheques que sobrepase los $10,000.

Autorización de zona franca. Se le pedirá que rellene una declaración de aduana a su llegada a EE.UU. El siguiente cuadro muestra los principales artículos exentos de arbitrio que puede ingresar a EE.UU. (si es mayor de 21 años de edad) o, llevarse a casa a la hora de su regreso:

	Cigarrillos	Puros	Tabaco	Licores	Vino
EE.UU.	200	ó 50	ó 2 kg	1 l	ó 1 l

TRANSPORTE (*ver también* Aeropuertos, Cómo llegar a la Florida, Arriendo de Vehículos y Conducción).

Autobuses. (*ver también* Guías y Excursiones). La compañía más grande, Greyhound Lines, que se fusionó con su rival Trailways, atiende a la totalidad de los centros turísticos y atracciones. Además de la red de la Florida, ofrece servicios hacia y desde ciudades en todo Estados Unidos (el viaje de Nueva York a Orlando demora cerca de 25 horas). Las líneas de autobuses más pequeñas ofrecen servicios locales de transporte entre los hoteles y las atracciones, además de visitas a los puntos de interés. Los visitantes pueden adquirir pases para viajes ilimitados (sólo pueden comprarse fuera de Estados Unidos), válidos por un período específico, para ir a cualquier parte del país en un autobús de Greyhound con un precio fijo.

Autobuses urbanos. Regla número uno: tenga la cantidad exacta de monedas lista para depositarla en la alcancía ubicada junto al conductor. Los autobuses de Miami andan atestados y son algo locos, pero, en términos generales, el servicio es puntual y regular.

Miami Metrorail. Miami cuenta con un tren elevado que se desplaza de norte a sur por el centro de la ciudad. Los trenes, que tienen aire acondicionado, funcionan a intervalos frecuentes desde las 5:30 a.m. hasta la medianoche.

Taxis. Los taxis siempre llevan un letrero en el techo que se puede reconocer con facilidad. La mayoría tiene taxímetro y las tarifas aparecen por lo general escritas en las puertas. Algunos andan circulando por las calles, especialmente en el centro de las ciudades. Para llamar un taxi, busque en la sección "Taxicabs" de las páginas amarillas. Dé una propina equivalente al 15% de la tarifa.

La Florida

Trenes. Amtrak (National Railroad Passenger Corporation) ofrece una variedad de tarifas económicas, como las tarifas Excursion y Family; el USA Railpass sólo puede adquirirse en el extranjero, pero en Estados Unidos hay muchos paquetes turísticos. Hay trenes con aire acondicionado que conectan los principales pueblos de la Florida con los centros urbanos de todo Estados Unidos (el viaje de Nueva York a Orlando demora 24 horas). El sistema Tri-Rail conecta Miami y el aeropuerto internacional con las ciudades y centros turísticos de la Gold Coast.

VESTIMENTA

Cada vez que está caluroso o húmedo, los residentes de la Florida encienden el aire acondicionado. Éste puede arrojar un frío polar, así que no olvide llevar ropa de abrigo al salir de compras, a cenar o a pasear en vehículos con aire acondicionado, incluyendo los autobuses de la ciudad. El invierno puede presentarse con períodos sorprendentemente fríos, por lo que esté preparado ante cualquier eventualidad.

En los centros vacacionales, la ropa informal es la apropiada para toda hora, algo liviano, brillante, suelto y hecho de algodón en vez de con fibras artificiales. Palm Beach es la excepción; se privilegia la moda impecable, conservadora y, para los hombres, las combinaciones náuticas. Si es probable que vaya a nadar con frecuencia, lleve trajes de baño para cambiarse rápido. Otros artículos útiles que conviene llevarse son un quitasol, un sombrero de playa y calzado cómodo del tipo deportivo para recorrer los parques temáticos o los senderos rocosos.

VIAJEROS INCAPACITADOS

En Estados Unidos se han realizado más esfuerzos que en casi cualquier otro país para permitir que los incapacitados puedan desplazarse por su propia cuenta. Los hoteles y los edificios públicos cuentan con entradas para sillas de ruedas y baños especiales. Los parques temáticos hacen accesible a las sillas de ruedas tantas atracciones como pueden, y algunos prestan ayuda especial a los visitantes con incapacidades visuales y auditivas.

Hoteles recomendados

Largamente consolidada y aún en crecimiento como destino vacacional, la Florida ofrece una enorme variedad de alojamientos. Todos los centros vacacionales tienen representantes de las grandes cadenas y franquicias, además de una gran cantidad de moteles económicos. El área de Orlando, incluido Walt Disney World, cuenta con más habitaciones de hotel que cualquier ciudad en Estados Unidos. La competencia en la altamente desarrollada industria de la hospitalidad le asegura que usted recibirá un servicio de calidad por su dinero, ya sea en el más lujoso de los centros vacacionales, en un modesto motel o en algún lugar intermedio. En esta página, sólo es posible incluir una pequeña selección. Se ha dividido la lista en áreas, en el mismo orden de la sección "Dónde ir" de esta guía. Cada lugar está marcado con un símbolo que indica el rango de precio por noche de una habitación doble con baño, sin incluir el desayuno. El impuesto a las ventas de un 6.5% se agrega a la cuenta de los hoteles.

En Estados Unidos, se cobra por habitación, no por persona. Si hay más de dos personas, se cobra un pequeño recargo. Algunos hoteles incluyen un desayuno continental simple. Pregunte siempre por paquetes con tarifas especiales, por ejemplo, por estadías de unos pocos días, tarifas más rebajadas de mitad de semana y tarifas de temporada baja. (Dos símbolos, por ejemplo, ✿✿/✿✿✿, indican las principales variaciones estacionales del rango de precios).

✿	menos de US$80
✿✿	US$80 a US$120
✿✿✿	US$120 a US$220
✿✿✿✿	más de US$220

MIAMI BEACH HACIA AVENTURA

The Alexander ✿✿✿✿ *5225 Collins Avenue, Miami Beach, FL 33140; tel. (305) 865-6500, fax 864-8525.* Habitaciones muy lujosas en una torre rosa cerca de su propia y amplia playa.

La Florida

Jardines ornamentales y piscinas. 211 habitaciones.

Colony ✪✪ *736 Ocean Drive, Miami Beach, FL 33139; tel. (305) 673-0088 ó (800) 223-6725, fax 534-7409.* Tesoro del estilo Art-Deco, restaurado y en la actualidad un foco del elegante South Beach. 36 habitaciones.

Doral Ocean Beach Resort ✪✪✪ *4833 Collins Avenue, Miami Beach, FL 33140; tel. (305) 532-3600, fax 532-2334.* Torre junto al mar. Completas instalaciones deportivas, tenis, piscina, botes, campo de golf en las cercanías. 420 habitaciones.

Fontainebleau Hilton ✪✪✪/✪✪✪✪ *4441 Collins Avenue, Miami Beach, FL 33140; tel. (305) 538-2000 ó (800) 548-8886, fax 531-9274.* Enormes bloques blancos y curvos en elegantes terrenos cerca de la playa. Piscinas, tenis. 1,206 habitaciones.

Sheraton Bal Harbour Beach Resort ✪✪✪/✪✪✪✪ *9701 Collins Avenue, Bal Harbour, FL 33154; tel. (305) 865-7511 ó (800) 325-3535, fax 864-2601.* Hermoso centro vacacional junto al mar. Tenis, piscinas, golf. 650 habitaciones.

Turnberry Isle Yacht & Country Club ✪✪✪✪ *19999 W. Country Club Drive, Aventura, FL 33180; tel. (305) 932-6200 ó (800) 327-7028, fax 933-6560.* Elegante centro vacacional con un club náutico, piscinas y campos de golf. 357 habitaciones.

MIAMI Y ÁREAS CERCANAS

Biscayne Bay Marriott ✪✪/✪✪✪ *1633 N. Bayshore Drive, Miami, FL 33132; tel. (305) 374-3900 ó (800) 228-9290, fax 375-0597.* Céntrico hotel de la bahía junto a un centro comercial. Piscina. 584 habitaciones.

Doubletree ✪✪ *2649 S. Bayshore Drive, Coconut Grove, FL 33133; tel. (305) 858-2500 ó (800) 872-7749, fax 858-5776.* Amplias habitaciones con vista a la bahía y al "Grove". Piscina, tenis. 190 habitaciones.

Grand Bay ✪✪✪✪ *2669 S. Bayshore Drive, Coconut Grove,*

FL 33133; tel. (305) 858-9600 ó (800) 327-2788, fax 859-2026.
Amplias habitaciones de lujo con vista a Biscayne Bay. Piscina.
181 habitaciones.

Mayfair House ✪✪✪/✪✪✪✪ *3000 Florida Avenue, Coconut
Grove, FL 33133; tel. (305) 441-0000 ó (800) 433-4555, fax
447-9173.* Hotel exclusivamente de suites en el corazón del
"Grove". Piscina. 181 habitaciones.

Miami Airport Inn ✪✪ *1550 NW Lejeune Road, Miami, FL
33126; tel. (305) 871-2345, fax 871-2811.* Precios razonable-
mente económicos cerca del aeropuerto internacional. Piscina.
209 habitaciones.

Sonesta Beach Hotel and Tennis Club ✪✪✪✪ *350 Ocean
Drive, Key Biscayne, FL 33149; tel. (305) 361-2021 ó (800)
766-3782, fax 365-2096.* Complejo vacacional junto al mar
orientado a los grupos familiares. Tenis, piscinas, campos de
golf en las cercanías. 300 habitaciones.

GOLD COAST

Radisson Bahia Mar Beach Resort ✪✪/✪✪✪ *801 Seabreeze
Boulevard, Fort Lauderdale, Florida, FL 33316; tel. (305) 764-
2233 ó (800) 333-3333, fax 523-5424.* Junto al mar, con una
gran marina de yates y pesca en las cercanías. Tenis, piscinas,
deportes acuáticos. 300 habitaciones.

The Breakers ✪✪✪/✪✪✪✪ *1 S. Country Road, Palm Beach,
FL 33480; tel. (561) 655-6611 ó (800) 533-3141, fax 659-8403.*
Enorme palacio frente a la playa, construido en los años 20, que
se alza en medio de Palm Beach. Dos campos de golf, tenis,
croquet, piscinas. 528 habitaciones.

Days Inn ✪/✪✪ *1700 W. Broward Boulevard, Fort Lauderdale,
Florida, FL 33312; tel. (954) 463-2500 ó (800) 866-650, fax
763-6504.* Económico hotel en el centro de Fort Lauderdale.
Piscina. 144 habitaciones.

Marriott Harbor Beach Resort ✪✪✪/✪✪✪✪ *3030 Holiday*

La Florida

Drive, Fort Lauderdale, FL 33316; tel. (954) 525-4000 ó (800) 228-6543, fax 766-6165. Centro vacacional junto al Atlántico. Tenis, piscinas, deportes acuáticos. 625 habitaciones.

Ocean Grand ✪✪✪/✪✪✪✪ *2800 S. Ocean Boulevard, Palm Beach, FL 33480; tel. (561) 582-2800, fax 547-1557.* Nuevo complejo vacacional de lujo con edificios de baja altura cerca del mar. Piscinas y jardines. 213 habitaciones.

Bonaventure Resort and Spa ✪✪✪/✪✪✪✪ *250 Racquet Club Road, Fort Lauderdale, Florida, FL 33326; tel. (954) 389-(954) 389 3300 ó (800) 327-809, fax 384-0563.* Amplio complejo vacacional un poco más alejado del mar. Golf, tenis, squash, baños termales, piscinas. 500 habitaciones.

SPACE COAST Y ST. AUGUSTINE

Daytona Beach Hilton ✪✪/✪✪✪ *2637 S. Atlantic Avenue, Daytona Beach, FL 32118; tel. (904) 767-7350, fax 760-3651.* En el extremo más tranquilo de la playa. Piscina, tenis. 215 habitaciones.

Best Western Ocean Inn ✪ *5500 N. Atlantic Avenue, Cocoa Beach, FL 32931; tel. (407) 784-2550, fax 868-7124.* Hotel económico cerca de la playa. Piscina. 100 habitaciones.

Perry's Ocean Edge Resort ✪✪ *2209 S. Atlantic Avenue, Daytona Beach, FL 32118; tel. (904) 255-0581 ó (800) 447-0002, fax 258-7315.* Hotel frente a la playa. Piscinas, deportes acuáticos. 204 habitaciones.

Ponce de León Resort ✪✪✪ *4000 U.S. Hwy 1 North, St. Augustine, FL 32085; tel. (904) 824-2821 ó (800) 228-2821, fax 824-8254.* Entorno de club de campo con campos de golf, tenis y piscinas. Cerca de la playa. 204 habitaciones.

Wakulla Motel ✪✪ *3550 N. Atlantic Avenue Cocoa Beach, FL 32931; tel. (407) 783-2230 ó (800) 992-5852, fax 783-0980.* Motel de suites, cada habitación con cocina propia. Piscinas y jardines. Junto a la playa. 116 habitaciones.

DENTRO DEL ÁREA DE WALT DISNEY WORLD

Los huéspedes de los alojamientos de propiedad de Disney tienen privilegios al hacer reservas para espectáculos, cenas, etc. Pueden estacionar sin costo en los parques temáticos y se les garantiza la entrada a los parques en los transportes de Disney. Estas ventajas pueden compensar los precios algo elevados de las habitaciones dentro del área de Disney World. El número telefónico de la oficina central de los hoteles de propiedad de Disney es (407) W-DISNEY.

Caribbean Beach Resort ✪✪ *Walt Disney World, Lake Buena Vista, FL 32830-0100; tel. (407) 934-3400, fax 354-1866.* Cerca de EPCOT. Pintoresco diseño de "aldea" a orillas de un lago con marina y piscina temática. 2,112 habitaciones.

Contemporary Resort ✪✪✪✪ *Walt Disney World, Lake Buena Vista, FL 32830-0100; tel. (407) 824-1000, fax 354-1865.* De 15 pisos y con forma de "potro", cerca del Reino Mágico. Piscinas, marina. 1,041 habitaciones, 80 suites.

Dixie Landings Resort ✪✪ *Walt Disney World, Lake Buena Vista, FL 32830-0100; tel. (407) 934-6000, fax 934-5777.* No lejos de EPCOT; excelente ubicación para todas las áreas de WDW. Piscinas, vía navegable. 2,048 habitaciones.

Grand Floridian Beach Resort ✪✪✪✪ *Walt Disney World, Lake Buena Vista, FL 32830; tel. (407) 824-3000, fax 354-1866.* Recreación con esplendor victoriano. Monorriel al Reino Mágico. Piscinas, marina, playa. 901 habitaciones.

Walt Disney World Dolphin ✪✪✪✪ *Operado por Sheraton, PO Box 22653, Lake Buena Vista, FL 32830-2653; tel. (407) 934-4000 ó (800) 227-1500, fax 934-4884.* Cerca de EPCOT International Gateway. Gran torre triangular característica. Piscinas, marina. 1,509 habitaciones.

Walt Disney World Swan ✪✪✪✪ *Operado por Westin, PO Box 22786, Lake Buena Vista, FL 32830; tel. (407) 934-3000 ó (800) 248-7926, fax 934-4499.* A pocos pasos de EPCOT

International Gateway. Torre con techo en arco y coronado por cisnes. Piscinas, marina, playa. 758 habitaciones.

Wilderness Lodge ✪✪✪ *Walt Disney World, Lake Buena Vista, FL 32830; tel. (407) 934-7639, fax 824-3232.* Atrio de cinco pisos apoyado en postes de pino semejante a una cabaña; una imitación de géiser hace erupción a cada hora. Piscina. 728 habitaciones.

Yacht Club Beach Club Resorts ✪✪✪ *Walt Disney World, Lake Buena Vista, FL 32830; tel. (407) 934-7000, fax 354-1866.* Recreaciones idénticas de un complejo vacacional del siglo XIX de la costa de Massachusetts. Piscinas, marina, playa. 1,214 habitaciones.

HOTELES PLAZA DE LA ALDEA DE DISNEY

Llamados "Hoteles de Walt Disney World", están dentro de WDW, pero no son propiedad de Disney.

Buena Vista Palace ✪✪✪ *1900 Buena Vista Drive, Lake Buena Vista, FL 32830; tel. (407) 827-2727 ó (800) 327-2990, fax 827-6034.* Complejo en un edificio a orillas del lago. Tenis, piscinas, jardines. 841 habitaciones.

Grosvenor Resort ✪✪✪ *1850 Hotel Plaza Boulevard, Lake Buena Vista, FL 32830; tel. (407) 828-4444 ó (800) 624-4109, fax 828-8129.* Torre con instalaciones para convenciones. Piscinas, tenis. 630 habitaciones.

Hilton ✪✪✪ *1751 Hotel Plaza Boulevard, Lake Buena Vista, FL 32830; tel. (407) 827-4000, fax 827-6380.* Edificio en forma de C con restaurante, piscinas, tenis. 813 habitaciones.

The Courtyard by Marriott ✪✪✪ *1805 Hotel Plaza Boulevard, Lake Buena Vista, FL 32830; tel. (407) 828-8888 ó (800) 223-9930, fax 827-4623.* Edificio de catorce pisos y un anexo más pequeño. Piscinas, jardín, comidas para la familia. 323 habitaciones.

ORLANDO Y ÁREA CERCANA

Days Inn Maingate West ✪✪ 5820 *W. Irlo Bronson Memorial Hwy. (U.S. 192), Kissimmee, FL 34746; tel. (407) 396-1000, fax 396-1789.* Hotel económico. Piscinas. 604 habitaciones.

Delta Orlando ✪✪ *5715 Major Boulevard, Orlando, FL 32819; tel. (407) 351-3340, fax 351-5117.* Económico complejo vacacional orientado a la familia. Piscinas, jardín, tenis, minigolf. 800 habitaciones.

Gateway Inn ✪✪ *7050 Kirkman Road, Orlando, FL 32819; tel. (407) 351-2000, fax 363-1835.* Hotel económico orientado a la familia. Piscinas. 354 habitaciones.

Harley Hotel ✪✪/✪✪✪ *151 E.Washington Street, Orlando, FL 32801; tel (407) 841-3220, fax 849-1839.* Hotel junto a la ribera del lago en el centro de la ciudad. Cercano a las diversiones de Church Street. Piscina. 305 habitaciones.

Holiday Inn Orlando North ✪✪ *626 Lee Road, Winter Park, FL 32810; tel. (407) 645-5600; fax 740-7912.* 6.5 km. (cuatro millas) al norte del centro de Orlando. Piscinas. 202 habitaciones.

Hyatt Regency Grand Cypress Resort ✪✪/✪✪✪ *1 Grand Cypress Boulevard, Orlando, FL 32836; tel. (407) 239-1234 ó (800) 233-1234, fax 239-3800.* Espacioso complejo turístico y centro de convenciones con amplias instalaciones deportivas que incluyen campos de golf, canchas de tenis, piscinas, lago, club náutico, centro equestre y amplios jardines. 750 habitaciones.

Larson's Lodge Maingate ✪ 6075 *W. Irlo Bronson Memorial Hwy. (US192), Kissimmee, FL 34747; tel. (407) 396-6100 ó (800) 327-9074, fax 396-6965.* Hotel económico. Piscinas. 128 habitaciones.

Peabody Orlando ✪✪✪ *9801 International Drive, Orlando, FL 32819; tel. (407) 352-4000 ó (800) 732-2639, fax 351-9177.* Notable edificio de 27 pisos de altura con centro de convenciones. Canchas de tenis, piscina. 851 habitaciones.

Stouffer Renaissance Orlando Resort ✪✪✪ *6677 Sea Harbor Drive, Orlando, FL 32821; tel. (407) 351-5555 ó (800) 327-6677, fax 351-9991*. Edificio de diez pisos y centro de convenciones, apropiado para familias. Piscinas, canchas de tenis, cerca de Sea World. 778 habitaciones.

EVERGLADES

Flamingo Lodge Marina and Outpost Resort ✪✪ *Flamingo Lodge Highway, Flamingo, FL 33034; tel. (941) 695-3101 ó (800) 650-3813, fax 695-3921*. Centro de actividades náuticas, pesca y excursiones al parque nacional. 120 habitaciones.

FLORIDA KEYS

Cheeca Lodge ✪✪✪✪ *MM82, Overseas Hwy. Islamorada, Box 527, FL 33036; tel. (305) 664-4651 ó (800) 327-2888, fax 664-2893*. Lujoso complejo turístico costero. Golf, tenis, piscinas, deportes náuticos. 203 habitaciones.

Pier House ✪✪✪ *1 Duval Street, Key West, FL 33040; tel. (305) 296-4600 ó (800) 327-8340, fax 296-7569*. Junto a Mallory Square y a la marina. Piscina, playa pequeña. 142 habitaciones.

Banyan Resort ✪✪✪ *323 Whitehead Street, Key West, FL 33040; tel. (305) 296-7786 ó (800) 225-0639, fax 294-1107*. Lujosas suites en un complejo de casas victorianas restauradas. Dos piscinas, jardines tropicales, cerca de la ciudad. 38 suites.

COSTA DEL GOLFO — NAPLES A FORT MYERS

Admiral Lehigh Golf Resort ✪✪/✪✪✪ *225 E. Joel Boulevard, Lehigh, FL 33936; tel. (813) 369-2121, fax 368-1660*. Hotel ubicado en un club de campo al este de Fort Myers cerca de la I-75. Dos campos de golf de 18 hoyos, canchas de tenis iluminadas, piscina. 121 habitaciones.

Edgewater Beach ✪✪/✪✪✪ *1901 Gulfshore Boulevard North, Naples, FL 33940; tel. (941) 262-6511 ó (8))0 821-0916, fax 262-1243.* Tranquilo y elegante hotel con piscina, con vista directa a la playa. 124 habitaciones.

Park Shore Resort ✪✪/✪✪✪ *600 Neapolitan Way, Naples, FL 33940; tel. (813) 263-2222 ó (800) 548-2077, fax 263-0946.* Complejo de villas compuesto exclusivamente de suites con cocinas completamente equipadas. Piscina, jardines ornamentales. 156 habitaciones.

Registry Resort ✪✪✪/✪✪✪✪ *475 Seagate Drive, Naples, FL 33940; tel. (941) 597-3232 ó (800) 247-9810, fax 597-3147.* Espacioso y elegante complejo turístico con campos de golf, tenis, instalaciones para acondicionamiento físico, piscinas, playa. 474 habitaciones.

Sundial Beach & Tennis Resort ✪✪✪ *1451 Middle Gulf Drive, Sanibel Island, FL 33957; tel. (941) 472 4151 ó (800) 237-4184, fax 472-1809.* Complejo turístico de baja altura ubicado frente al mar con canchas de tenis y piscinas. 265 habitaciones.

Vanderbilt Inn ✪✪/✪✪✪ *11000 Gulf Shore Drive North, Naples, FL 33963; tel. (941) 597-3151, fax 597-3099.* Complejo turístico de menor tamaño ubicado frente al mar y al norte de Naples. Piscinas. 148 habitaciones.

COSTA DEL GOLFO — ÁREA DE LA BAHÍA DE TAMPA

Best Western Siesta Beach Resort ✪✪ *5311 Ocean Boulevard, Sarasota, FL 34242; tel. (813) 349-3211 ó (800) 223-5786, fax 349-7915.* Complejo turístico económico en Siesta Key, cerca de las "arenas más blancas del mundo". Playa, piscina. 50 habitaciones.

Best Western Sirata Beach ✪✪/✪✪✪ *5390 Gulf Boulevard, St. Petersburg Beach, FL 33706; tel. (813) 367-2771 ó (800) 344-5999, fax 360-6799.* Complejo turístico orientado a la familia con vista a la playa. Piscinas, deportes. 155 habitaciones.

Holiday Inn Madeira Beach ✪✪ *15208 Gulf Boulevard, Madeira Beach, FL 33708; tel. (813) 392-2275 ó (800) 465-4329, fax 393-4019.* En la playa de arenas blancas y al norte de St. Petersburg (St. Pete's). Piscina, deportes náuticos, canchas de tenis. 147 habitaciones.

Hyatt Sarasota ✪✪✪ *1000 Boulevard of the Arts, Sarasota, FL 34236; tel. (941) 953-1234 ó (800) 233-1234, fax 952-1987.* Cercano al centro de la ciudad, bahía y Van Wezel Hall. Piscina, marina. 297 habitaciones.

Howard Johnson's Busch Gardens ✪ *4139 E. Busch Boulevard, Tampa, FL 33617; tel. (813) 988-9191, fax 988-9195.* Hotel económico cercano a Busch Gardens. Piscina. 100 habitaciones.

Sheraton Grand ✪✪✪ *4860 W. Kennedy Boulevard, Tampa, FL 33609; tel. (813) 286-4400 ó (800) 325-3535, fax 286-4053.* Cercano al aeropuerto internacional y al distrito comercial de Westshore. Amplias habitaciones, piscina. 325 habitaciones.

Restaurantes recomendados

Dondequiera que vaya, hay un lugar donde comer, y casi todos están abiertos los siete días de la semana. A continuación le ofrecemos una selección de restaurantes con servicio completo, restaurantes de buffet y patios de comida (varios locales con un área común de mesas). El espacio se hace insuficiente para enumerar siquiera una pequeña parte de la enorme cantidad de restaurantes y buffets de consumo ilimitado dentro de nuestra escala más baja de precios (ver también la sección Salir a comer en la parte principal de esta guía, páginas 94-98).

Cada lugar está marcado con un símbolo que indica el rango de precios por persona para una cena que incluye ensalada, plato principal y postre (no se consideran las bebidas, propinas ni impuesto a las ventas del $6^1/2\%$).

❂ menos de US$15

❂❂ US$15 a $30

❂❂❂ más de US$30

MIAMI Y MIAMI BEACH

Café Abbracci ❂❂❂ *318 Aragon Avenue, Coral Gables; tel. (305) 441-0700.* Cocina del norte de Italia.

Islas Canarias ❂ *285 NW 27th Avenue, Miami; tel. (305) 649-0440.* Popular cocina tradicional cubana en el área de la Pequeña Habana. No se aceptan tarjetas de crédito.

Joe's Stone Crab ❂❂ *227 Biscayne Street, Miami Beach; tel. (305) 673-0365.* Una institución desde 1913, abierto de octubre a mayo.

Málaga ❂ *740 SW 8th Street, Miami; tel. (305) 858-4224.* Tradicionales platos cubanos y españoles en la Calle Ocho.

Los Ranchos ❂❂ *Bayside Marketplace, Miami; tel. (305) 375-0666.* Restaurante de estilo nicaragüense especializado en carnes.

Rascal House ❂ *17190 Collins Avenue, Miami Beach; tel. (305) 947-4581.* Exquisita comida de estilo neoyorquino famosa por sus sabrosos sándwiches y grandes porciones.

Sakura ✪ *8225 SW 124th Street, Miami; tel. (305) 238-8462.* Platos de sushi, tempura y teriyaki.

WPA ✪✪ *685 Washington Avenue, Miami Beach; tel. (305) 534-1684.* Moderna cocina estadounidense en un relajado estilo de cantina con variaciones italianas y tejano-mexicanas.

Yuca ✪✪✪ *501 Lincoln Road, Miami Beach; tel. (305) 444-4448.* Cocina cubana moderna y de buen nivel en un ambiente elegante.

GOLD COAST

Café Arugula ✪✪✪ *3110 N. Federal Highway, Lighthouse Point; tel. (305) 785-7732.* Los mejores y más geniales ingredientes de la nueva cocina estadounidense.

Ruth's Chris Steak House ✪✪ *661 U.S. Highway 1, North Palm Beach; tel. (561) 863-0660.* Carnes y especialidades en pescados y mariscos.

Studio One ✪✪ *2447 E. Sunrise Boulevard, Fort Lauderdale; tel. (954) 565-2052.* Deliciosa cocina con influencia francesa y caribeña.

Testa's ✪✪ 221 Royal Poinciana Way, Palm Beach; tel. (561) *832-0992.* Tradicional restaurante italiano y de pescados y mariscos; con jardines.

TooJay's Gourmet Deli ✪ *313 Royal Poinciana Plaza, Poinciana Center, Palm Beach; tel. (561) 659-7232.* Suculentos sándwiches y especialidades preferidas que se sirven en un ambiente informal.

LA COSTA ESPACIAL Y ST. AUGUSTINE

The Shark House ✪ *2929 South A1A, Beverly Beach; tel. (904) 439-1000.* Bar-restaurante con carnes y pescados y mariscos frescos, al sur de St. Augustine.

Live Oak Inn ✪✪ *448 South Beach Street, Daytona Beach; tel. (904) 252-4667.* Menú estadounidense, elegante casa antigua con vista a la marina. Cerrado los lunes.

The Pier Restaurant ✪✪ *Cocoa Beach Pier, 401 Meade Avenue, Cocoa Beach; tel. (407) 783-7549.* Elegante comedor sobre el antiguo muelle de madera.

Raintree ✪✪✪ *102 San Marco Avenue, St. Augustine; tel. (904) 824-7211.* Extraordinaria cocina internacional en un elegante ambiente.

St. Regis ✪✪ *509 Seabreeze Boulevard, Daytona Beach; tel. (904) 252-8743.* Una antigua casa transformada en hostería y restaurante. Comida casera.

WALT DISNEY WORLD (incluidos Village y Plaza)

Restaurant Akershus ✪✪ *Pabellón de Noruega, EPCOT.* Buffet noruego de platos calientes y fríos, desde arenque y salmón hasta queso de cabra y postres. Para hacer sus reservaciones, llame al (407) WDW-DINE.

Biergarten Restaurant ✪✪ *Pabellón de Alemania, EPCOT.* Ternera, cerdo ahumado, *bratwurst* (salchicha asada) y otras especialidades alemanas. Para hacer sus reservaciones, llame al (407) WDW-DINE.

Bistro de Paris ✪✪✪ *Pabellón de Francia, EPCOT.* Traditional ambiente francés. Colorida y creativa cocina, el menú es elaborado por expertos chefs. Para hacer sus reservaciones, llame al (407) WDW-DINE.

Cape May Café ✪✪✪ *Beach Club Resort; tel. (407) 934-3358.* Todas las noches hay almejas asadas al estilo de Nueva Inglaterra, sobre piedras muy calientes. Buffets de pescados y mariscos.

Cap'n Jack's Oyster Bar ✪✪ *Disney Village Marketplace; tel. (407) 934-3358.* Jaibas, langostas, almejas y ostras, además de otras alternativas vegetarianas y sin mariscos.

Le Cellier Steakhouse ✪✪ *Pabellón de Canadá, EPCOT (Sin reservaciones).* Platos internacionales y canadienses.

Fireworks Factory ✪✪ *Pleasure Island; tel. (407) 934-8989.* Barbacoas, pollo ahumado, platos vegetarianos y de bajas calorías.

Harry's Safari Bar and Grill ✪✪ *Walt Disney World Dolphin Hotel; tel. (407) 934-4000, anexo 6155.* Pescados, mariscos y carnes a la parrilla; decorado al estilo safari.

Marrakesh ✪✪✪ *Pabellón de Marruecos, EPCOT.* Couscous, *kebabs*, *tadjine* y otras especialidades marroquíes.

Cantina de San Ángel ✪✪✪ *Pabellón de México, EPCOT.*

Platos mexicanos junto al paseo The River of Time (el Río del Tiempo). Para hacer sus reservaciones, llame al (407) WDW-DINE.

ORLANDO Y ÁREAS VECINAS

Capriccio ✪✪✪ *Peabody Hotel, 9801 International Drive, Orlando; tel. (407) 345-4450.* Auténtica cocina campestre italiana en un ambiente de hotel.

Charlie's Lobster House ✪✪ *Mercado Mall, 8445 International Drive, Orlando; tel. (407) 352-6929.* Todo tipo de pescados y mariscos. Servido como lo prefiera.

Charlie's Steak House ✪ *2901 Parkway Blvd., Kissimmee; tel. (407) 239-1270.* Espléndido buffet con plato principal a pedido.

Hard Rock Café ✪ *Estudios Universal de Florida, 5800 S. Kirkman Road, Orlando; tel. (407) 351-7625.* Hamburguesas y sándwiches, papas fritas y malteadas. Acceso por la calle así como también por los Estudios.

Lili Marlene's ✪✪ *Church Street Station, Orlando; tel. (407) 422-2434.* Menú estadounidense típico en un elegante ambiente que rememora la década de 1890.

Ming Court ✪✪✪ *9188 International Drive, Orlando; tel. (407) 351-9988.* Cocina china regional en un elaborado ambiente.

Siam Orchid ✪✪ *7575 Republic Drive, Orlando; tel. (407) 351-0821.* El sabor de Tailandia.

Western Steer ✪ *6315 International Drive Orlando; tel. (407) 363-0677.* Buffet de carnes, pescados y mariscos con consumo ilimitado.

CAYOS DE LA FLORIDA

A & B Lobster House ✪✪ *700 Front Street, Key West; tel. (305) 294-2536.* Ostras, almejas, camarones, barbacoas, y con vista al puerto.

Balamonte's ✪ *1223 White Street, Key West; tel. (305) 296-2200.* Restaurante italiano de pescados y mariscos.

Half Shell Raw Bar ✪ *231 Margaret Street, Key West; tel. (305) 294-7496.* Café-bar junto a la marina. Ostras, almejas, cangrejos y frituras de caracol.

Louie's Backyard ✪✪✪ *700 Waddell Avenue, Key West; tel. (305) 294-1061.* Cocina estadounidense junto al mar.

Quay Restaurant ✪✪ *12 Duval Street, Key West; tel. (305) 294-4446.* Pescados, mariscos, carnes y pastas frente al mar.

Water's Edge ✪ *MM61, Duck Key; tel. (305) 743-7000.* Carnes, pescados y mariscos junto al puerto.

Whale Harbor Inn ✪✪ *MM84, Islamorada; tel. (305) 664-4959.* Buffet de pescados y mariscos junto a la marina.

COSTA DEL GOLFO, NAPLES A FORT MYERS

Farino's/Gilda's Casa Italiana ✪✪ *4000 Tamiami Trail N., Naples; tel. (941) 262-2883.* Pescados, mariscos, pastas y parrilladas en un ambiente informal.

The Mucky Duck ✪✪ *2500 Estero Boulevard, Fort Myers Beach; tel. (941) 463-5519.* Un ambiente informal para degustar pescados y mariscos a la parrilla, al vapor y fritos.

Terra ✪✪ *1300 3rd Street S., Naples; tel. (941) 262-5500.* Informal parrilla de estilo mediterráneo.

COSTA DEL GOLFO, ÁREA DE LA BAHÍA DE TAMPA

Charley's Crab ✪✪ *420 St. Armand's Circle, Sarasota; tel. (941) 388-3964.* Selección de pescados, mariscos y pastas caseras, con alternativas en platos de carne y vegetarianos.

E & E Steakout Grill ✪✪ *100 N. Indian Rocks Road, Belleair Bluffs; tel. (941) 585-6399.* Pescados, mariscos, carne de cordero y platos alemanes y húngaros.

Pippindales ✪ *Clearwater Beach Hilton, 715 S. Gulf Boulevard, Clearwater Beach; tel. (8941) 447-9566.* Buffets estadounidenses a excelentes precios.

Summerhouse ✪✪ *6101 Midnight Pass Road, Siesta Key, Sarasota.; tel. (941) 349-1100.* Un ambiente rodeado de bosques para degustar pescados, langostas, cangrejos, carnes y pollos.

ACERCA DE BERLITZ

En 1878, el profesor Maximilian Berlitz tuvo una idea revolucionaria sobre cómo hacer del aprendizaje de idiomas algo comprensible y agradable. Ciento veinte años más tarde, estos mismos principios se siguen aplicando exitosamente.

Para obtener servicios de instrucción, traducción e interpretación de idiomas, capacitación intercultural, programas de estudios en el extranjero y una serie de productos de publicaciones y servicios adicionales, visite alguno de nuestros más de 350 Centros Berlitz existentes en más de 40 países.

Consulte su guía telefónica local para el Centro Berlitz más cercano o visite nuestra dirección web en http://www.berlitz.com.

Ayudando al Mundo a Comunicarse